French

FOR COMMON ENTRANCE

13+

Exam Practice Questions and Answers

Nigel Pearce
Joyce Čapek

About the authors

Joyce Čapek taught French at the Dragon School for 22 years, where she guided many 13-year-olds through Common Entrance and Scholarship examinations. She retired in 2010 and shortly afterwards moved to Scotland where she shares her knowledge of the language with members of the local U3A (University of the Third Age). She and her husband enjoy entertaining family and friends in their 'maison secondaire' in Burgundy.

Nigel Pearce headed the French department at Summer Fields, Oxford, for 20 years. He has spent almost his whole career teaching French, and preparing students for 13+ Common Entrance and Scholarship examinations.

Acknowledgements

I wish to express my immense gratitude to the whole Galore Park team. Without their patience, expertise and advice, this complete revision would have been much more difficult. I must also thank my wife, for her limitless supply of coffee and common sense at the most testing times. Finally, any acknowledgement would be incomplete without mentioning the many great, and less great, authors of French literature, who have inspired a lifelong love of France and its rich culture.

Nigel Pearce

Special thanks to copy editor Pat Dunn for her invaluable advice on the Speaking and Listening sections of this book.

Joyce Čapek

Hachette UK's policy is to use papers that are natural, renewable and recyclable products and made from wood grown in well-managed forests and other controlled sources. The logging and manufacturing processes are expected to conform to the environmental regulations of the country of origin.

Orders: Teachers please contact Bookpoint Ltd, 130 Park Drive, Milton Park, Abingdon, Oxon OX14 4SE. Telephone: (44) 01235 400555. Email primary@bookpoint.co.uk. Lines are open from 9 a.m. to 5 p.m., Monday to Saturday, with a 24-hour message answering service

Parents, Tutors please call: 020 3122 6405 (Monday to Friday, 9:30 a.m. to 4.30 p.m.). Email: parentenquiries@galorepark.co.uk

Visit our website at www.galorepark.co.uk for details of other revision guides for Common Entrance, examination papers and Galore Park publications.

ISBN: 978 1 5104 3502 5

First published in 2019 by
Hodder and Stoughton Ltd
An Hachette UK Company
Carmelite House
50 Victoria Embankment
London EC4Y 0DZ

www.galorepark.co.uk

Impression number 10 9 8 7 6 5 4 3 2

Year 2023 2022 2021 2020

Illustrations by Aptara, Inc.

Typeset in India

Printed and bound by CPI Group (UK) Ltd, Croydon, CR0 4YY

A catalogue record for this title is available from the British Library.

Contents

The Publishers would like to thank the following for permission to reproduce copyright material.

Photo credits

Key: l = left, c = centre, r = right, t = top, m = middle, b = bottom, 2 = second row, 3 = third row, 4 = fourth row, 5 = fifth row

p10 (l) © EQRoy/Shutterstock.com, (c) © pozitivo/Shutterstock.com, (r) © Gilang Prihardono/Shutterstock.com; **p11** (tl & 3l) © lassedesignen/123RF.com, (tr) © InnaFelker/Shutterstock.com, (2l) © Ingram Publishing Limited/Occupations and Trades Vol 2 CD 4, (2r) © Christophe Schmid/Fotolia.com, (3c) © Tatiana Popova/Shutterstock.com, (3r) © Syda Productions/Shutterstock.com, (bl) © AHMAD FAIZAL YAHYA/Shutterstock.com, (br) © Mikael Damkier/Fotolia.com; **pp11** (tc), **34** (4c), **40** (3l), **41** (5c) © sondem/Shutterstock.com; **pp11** (2c), **33** (bc) © Dean Drobot/Shutterstock.com; **pp11** (br), **36** (t) © Zoja/Fotolia.com; **p12** (tl) © John James/Shutterstock.com, (tc) © paulgrecaud/123RF.com, (tr) © Monkey Business/Fotolia.com, (2l & 2r) © Robert Wilson/Fotolia.com, (bl) © Nattika/Shutterstock.com, (bc) © Timur Abasov/Shutterstock.com, (br) © Africa Studio/Fotolia.com; **pp12** (2c), **15** (tc), **16** (c) © Getty Images/iStockphoto/Thinkstock; **p13** (tl) © Alx/Fotolia.com, (tc) © Billion Photos/Shutterstock.com, (tr) © Madlen/Shutterstock.com, (bl) © air/Fotolia.com; **pp13** (bc), **17** (r), © Ali Ender Birer/Fotolia.com; **pp13** (br), **15** (l), **34** (2l) © Ryzhkov Oleksandr/Shutterstock.com; **p15** (tl) © den-belitsky/stock.adobe.com; (bl) © ExFlow/Shutterstock.com, (bc) © JAC/Fotolia.com, (br) © Tetyana/Fotolia.com; **pp15** (tr), **40** (2c) © Pablo Scapincahis/Fotolia.com; **p16** (l) © Yurii Bizgaimer/123RF.com, (r) © The Carlin Company/iStockphoto; **pp17** (c), **39** (ml) © Roman Samokhin/Fotolia.com; **p33** (t) © urfingus/123RF.com, (bl) © araraadt/Fotolia.com, (br) © Dinga/Fotolia.com; **p34** (tl) © Lawrey/Shutterstock.com, (tc) © malajscy/Fotolia.com, (tr) © starekase/iStockphoto/Thinkstock, (2c) © King Tut/Shutterstock.com, (2r) © Tupungato/Fotolia.com, (3) © WDG Photo/Shutterstock.com, (4l) © kb-photodesign/Shutterstock.com, (5l) © S.Borisov/Shutterstock.com, (bl) © destina/Fotolia.com, (bc) © Cathy Yeulet/123RF.com, (4r) © Hayati Kayhan/Fotolia.com, (5r) © VadimGuzhva/Fotolia.com, (br) © Lee Phek Thong/Fotolia.com; **p35** (t) © taweepat/Fotolia.com, (2l) © MAXFX/Fotolia.com, (3l) © SeanPavonePhoto/Fotolia.com, (bl) © virtua73/Fotolia.com, (2c) © araraadt/Fotolia.com, (3c) © David Papazian/Shutterstock.com, (bc) © Paylessimages/Fotolia.com, (2r) © Sternstunden/Fotolia.com, (3c) © Jodie Johnson/stock.adobe.com, (br) © mariakraynova/Shutterstock.com; **p36** (2l) © wavebreakmediamicro/123RF.com, (3l & bl) © Jacek Chabraszewski/Fotolia.com, (2c) © Anna Chelnokova/Fotolia.com, (3c) © waldru/Shutterstock.com, (bc) © artush/Fotolia.com, (br) © LightField Studios/Shutterstock.com; pp36 (2r), **41** (2l) © foxaon/Fotolia.com; **pp36** (3r), **39** (t) © Aleksey Satyrenko/123RF.com; **p37** (t) © Galyna G/Shutterstock.com, (2l) © koosen/iStock/Thinkstock/Getty Images, (3l) © Lim Jerry//Fotolia.com, (bl) © Steve Mann/Fotolia.com, (2c) © Olgo Kovalenko/Shutterstock.com, (3c) © tnehala/Fotolia.com, (bc) © natrot/Fotolia.com, (2r) © mipan/Fotolia.com, (3r) © Brian A Jackson/Shutterstock.com, (br) © Studio KIWI/Shutterstok.com; **p39** (bl) © Aleksey Stemmer/Shutterstock.com, (mc) © muro/Fotolia.com, (br) © WDG Photo/Shutterstock.com, (tr) © wavebreakmediamicro/123RF.com; **p40** (t) © moodboard/Thinkstock/Getty Images, (2l) © hal_pand_108/Fotolia.com, (3r) © bikeriderlondon/Shutterstock.com, (2r) © Max Topchii/Fotolia.com, (4) © Marzanna Syncerz/Fotolia.com, (5l) © Alison Bowden/Fotolia.com, (bl) © Eray/Fotolia.com, (5c) © goodluz/Fotolia.com, (5r) © Gorodenkoff/Fotolia.com, (br) © auremar/Fotolia.com; **p41** (t) © Igor Mojzes/Fotolia.com, (3l) © Getty Images/Blend Images/Thinkstock, (2c) © Raver32/Fotolia.com, (3r) © wavebreakmedia/Shutterstock, (2r & br) © littleny/Fotolia.com, (4) © Mike Orlov/Shutterstock.com, (5l) © Fedor Selivanov/123RF.com, (bl) © Sondem/Fotolia.com, (5r) © Elenathewise/Fotolia.com.

Every effort has been made to trace all copyright holders, but if any have been inadvertently overlooked, the Publishers will be pleased to make the necessary arrangements at the first opportunity.

Introduction

Welcome to *French for Common Entrance 13+ Exam Practice Questions and Answers*! This Practice volume puts all the knowledge you have learnt from your Common Entrance French course to the test. The Listening and Speaking practice and Reading and Writing exercises are set out in styles that you might reasonably expect to encounter in the French examinations you are going to be sitting. If you have successfully come this far, **Bravo! Bon courage! Bonne chance!**

The latest ISEB syllabus for French describes tiered Common Entrance papers, Level 1 and Level 2:

- **Level 1** is intended for candidates who have only studied French for 30 to 40 hours, or who find the language very difficult.
- **Level 2** is for the majority of candidates who have completed a course for examination at 13+.

This book highlights some content that is only applicable to Level 2 candidates with this symbol:

Level 2

The full syllabus is available from the ISEB (www.iseb.co.uk).

Free audio download

Parts of this book refer to related audio material. Wherever there is related audio material you will see this symbol:

Track

The audio material is available as a free download on the Galore Park website. Go to www.galorepark.co.uk/frenchaudio to download the audio. You can match the track number in the symbol to the track number in the audio download.

What is in the Common Entrance examination?

- The Common Entrance examination is divided into four equal sections (each worth 25%): Speaking, Listening, Reading and Writing. Outlines of the details of each of these sections follow.
- Be aware that the final examinations for the Listening and Speaking sections are a few weeks earlier than the Reading and Writing sections. Your teacher will tell you when they are.
- Instructions for all parts of the French Common Entrance papers **at both levels** are now given in English.

Speaking (25%)

- In Level 1, there is a discussion on two prepared topics, and a maximum mark of 20, scaled up to a total of 25.
- Level 2 In Level 2, there is a role play, a discussion on one prepared topic, and an open, unprepared conversation, marked out of a total of 25.

Listening (25%)

- In both Levels 1 and 2, there are 25 questions, usually arranged in five sections, all of which are to be attempted by candidates at both levels, and a maximum mark of 25.

Reading and Writing (50%)

Reading

- In both Levels 1 and 2, there are 25 questions set on a number of short passages, arranged in five sections, and marked out of 25.

Writing

In Level 1, there are four sections worth a total of 25 marks:

- Section 1 asks candidates to write six items of vocabulary on a specific topic.
- Section 2 is a grammar multiple-choice exercise.
- In Section 3, candidates write a short sentence in French to describe each of five pictures (one sentence per picture).
- In Section 4, candidates write five short sentences on a given topic from the syllabus.

Level 2

In Level 2, 25 marks are available in two sections:

- Section 1 is a grammar test involving translation into French using the appropriate forms of given key words (gender and number for nouns and adjectives, correct conjugation of verbs). The verbs **avoir** and **être** will not be given, and candidates will be expected to provide other words as necessary.
- Section 2 requires extended writing in French (80 to 120 words), usually in the form of an email, mentioning at least four of the five items listed as bullet points.

List of topics covered by the ISEB Common Entrance syllabus

Topics marked with an asterisk * are not required for Level 1.

- language of the classroom, including basic IT
- house, home, daily routine and chores
- life and work at school
- time, dates, numbers and prices
- personal description
- family, friends and pets
- meeting people
- free-time activities
- holiday activities
- visiting a café or restaurant
- simple health problems
- description of a town or region
- finding the way and using transport
- shopping (e.g. for food, clothes, presents)
- weather
- pocket money*
- understanding tourist information*

Exam Practice Questions

1 Speaking

Prepared topics

These prepared topics are for both Levels 1 and 2 – see the section on Speaking in the Introduction. Each topic (two topics in Level 1, one in Level 2) will last about two minutes and will be marked out of 10 in Level 1 and out of 8 in Level 2, according to the assessment criteria set out at the end of this book.

How the exam operates

Level 1

The candidate will choose and prepare two topics from the list below:

- house, home, daily routine and chores
- free-time and holiday activities
- life and work at school
- personal description, family, friends and pets.

For each topic, the candidate should speak for approximately 30 seconds, after which time the teacher-examiner will intervene to ask three to four questions during the course of the two minutes. Credit will be given for relevant communication, appropriate response to the questions and quality of language.

Level 2

Level 2

The candidate will choose one topic from the same list as Level 1 or a topic connected with a French-speaking country:

- a town or region
- a regional or national celebration
- an artist (painter, sculptor, writer, composer, etc.)
- a historical figure
- a sportsman/sportswoman.

The candidate should speak for approximately 30 seconds, after which time the teacher-examiner will intervene to ask at least four questions during the course of the two minutes. Credit will be given for relevant, spontaneous communication, appropriate response to the questions and quality of language, including pronunciation and ability to use a range of tenses including the **passé composé**, the present tense and the near future.

Speak in French for around 30 seconds on each topic by following the bullet points. Then play the track and answer the questions in French.

Exercice 1.1 Daily routine and school

In a presentation, describe a typical day at school. Talk about:

- when you get up in the morning
- what you eat and drink for breakfast, and where you have it
- what time you go to school
- how many lessons you have per day
- the subjects that you learn
- which subjects you like and do not like
- what you do in the evening before going to bed.

Track 1 Now play the track and answer the questions in French.

Exercice 1.2 Holiday activities

In a presentation, describe how you spend your holidays. Talk about:

- where you like to go on holiday
- what you eat and drink on holiday that you do not have at home
- where you go, and with whom.

Describe two or three things that you like to do on holiday. Talk about:

- your activities at home
- what you like to do on holidays abroad
- the advantages and disadvantages of some kinds of transport.

Track 2 Now play the track and answer the questions in French.

Exercice 1.3 Where I live

In a presentation, describe your house or flat. Talk about:

- where your home is situated
- what rooms there are and on which floor
- how many bedrooms there are
- whether there is a garden and what you do there
- where you have your meals
- what you like and do not like about where you live.

Track 3 Now play the track and answer the questions in French.

Exercice 1.4 My town

In a presentation, describe the town where you live, or a town nearby. Talk about:

- where the town is in the UK
- the shops
- the restaurants, if there are any
- whether there is a swimming pool, cinema or sports facilities, etc.
- when you go into town, and with whom
- what you do in town.

Track 4 Now play the track and answer the questions in French.

Exercice 1.5 My family

In a presentation, describe your family. Talk about:

- who you live with
- whether you have any brothers or sisters
- how old the members of your family are
- how you spend your time together
- where your grandparents live
- whether you have any cousins.

Track 5 Now play the track and answer the questions in French.

Exercice 1.6 Free time

In a presentation, talk about what you like to do in your spare time. Talk about:

- what you do at home
- what you do outside (play tennis, for example)
- who you like to spend your spare time with
- when you do these activities (after school, at weekends, in the school holidays)
- why you like these activities
- whether you have any pets
- what you do for your pets.

Track 6 Now play the track and answer the questions in French.

Write a presentation in French on each topic below, lasting about 30 seconds. Practise saying it out loud. Try to think of some questions the examiner might ask you and what your answers might be. There are specimen presentations at the end of the book.

Exercice 1.7 Me and my family

Exercice 1.8 My house

Exercice 1.9 My school

Exercice 1.10 My free time

Exercice 1.11 My holidays

Level 2

Exercice 1.12 A region in France

Level 2

Exercice 1.13 A traditional festival

Level 2

Role play

How the exam operates

The examiner will give each candidate, at random, one role play from the three that are set. There will be six tasks per role play, and the prompts will be given in English. The candidate will have ten minutes' preparation time, but may not make any written notes during this time, and will then be required to carry out the six tasks in French. One of the tasks will be unpredictable and will require the candidate to respond, unprepared, to the examiner's question. Past tenses will not be required. The role plays may be based on any area of the syllabus and will be of a transactional or social nature, such as conversations in a shop, at the railway station, in a café or restaurant, or discussing hobbies, school or family, etc. with a French friend. In your exam, the other role will be played by your teacher. You will have access to a dictionary in the preparation room.

The examiner will give a mark (maximum 6) for completion of the tasks and a mark (maximum 3) for the quality of language.

Track 7

Exercice 2.1 Au camping

You are travelling around France with your family in a camper van. You arrive at a campsite and go to the reception desk. Your parents do not speak French, so you are the spokesperson. THE RECEPTIONIST WILL SPEAK FIRST.

Say:

1. Yes. Do you have place for a camper van?
2. Thank you. Is there a restaurant at the campsite?
3. Do we have to reserve a table?
4. Answer the question.
5. I need some stamps.
6. Is it far?

Track 8

Exercice 2.2 Vacances en Bretagne

You are on holiday in Brittany and telephoning a friend who lives in Paris. YOUR FRIEND WILL SPEAK FIRST.

Say:

1 Hello, it's me. I am in Brittany.

2 No, we are camping.

3 Answer the question.

4 Yes, and there is a games room, tennis courts and a snack bar.

5 Yes, we are five minutes from the beach.

6 A fortnight. We are returning next Sunday.

Track 9

Exercice 2.3 On réserve des chambres

You telephone a hotel to book a room, and speak to the receptionist. THE RECEPTIONIST WILL SPEAK FIRST.

Say:

1 Hello, I would like to make a reservation.

2 It is for three nights from 7th July.

3 There are three of us. We want one double room and one single.

4 My name is Martin. M–A–R–T–I–N.

5 Answer the question.

6 Does the hotel have a car park?

Track 10

Exercice 2.4 À la plage (a)

You are on a beach and a boy approaches you. HE WILL SPEAK FIRST.

Say:

1 Hello. My name is ... (your name).

2 No, I am on holiday.

3 Answer the question.

4 I have a little brother who is ten. He is playing over there.

5 No, he is the tall boy with black hair.

6 Yes, it is great. I like to go swimming and windsurfing.

Track 11

Exercice 2.5 À la plage (b)

You are on a beach and a girl approaches you. SHE WILL SPEAK FIRST.

Say:

1 Yes, I live in London. Where do you live?

2 The countryside is lovely.

3 There is lots to do in London.

4 Answer the question.

5 It is fine, but our flat is very small.

6 You are lucky.

Track 12

Exercice 2.6 Vacances à la montagne

You are chatting with a friend about winter holidays. YOUR FRIEND WILL SPEAK FIRST.
Say:

1 I love skiing in the Alps.
2 I go to Switzerland every February.
3 Answer the question.
4 Yes, I go with my parents and my brother.
5 No, we always rent a chalet.
6 Yes, it is good fun.

Track 13

Exercice 2.7 À la gare

You are at the ticket office in a railway station. THE EMPLOYEE WILL SPEAK FIRST.
Say:

1 I would like a return ticket to Bordeaux.
2 No, it is for tomorrow.
3 I am returning on Saturday.
4 Answer the question.
5 The train leaves at what time tomorrow morning?
6 Is it direct?

Track 14

Exercice 2.8 Dans le train

You strike up a conversation with a fellow passenger on the train. THEY WILL SPEAK FIRST.
Say:

1 Yes, is this seat free?
2 Yes, I am going to my cousins' in Biarritz.
3 No, I am English. Do you know England?
4 I live in a little village in the south-west of England.
5 In winter yes, but in summer the weather is lovely.
6 Answer the question.

Track 15

Exercice 2.9 Au téléphone

Your French friend rings you. YOUR FRIEND WILL SPEAK FIRST.
Say:

1 Hello, how are you?
2 I am well. Are you free on Saturday?
3 I have tickets for the match.
4 Do you want to come?
5 Answer the question.
6 OK, see you on Saturday.

Track 16

Exercice 2.10 Dans la rue

Somebody stops you in the street to ask for directions. THEY WILL SPEAK FIRST.
Say:

1. Yes, over there, next to the baker's.
2. It is quite far from here.
3. You can go by bus.
4. It is on the main square.
5. Answer the question.
6. You are welcome. Have a good day.

Track 17

Exercice 2.11 À la banque

You are on holiday in France and need to change some money at the bank. THE BANK CLERK WILL SPEAK FIRST.
Say:

1. I would like to change some money.
2. One hundred pounds sterling.
3. Answer the question.
4. Do you want to see my passport?
5. Oh no! My passport is in the hotel.
6. I am going to fetch my passport immediately.

Track 18

Exercice 2.12 Au café

You go to a café with your French friend. YOUR FRIEND WILL SPEAK FIRST.
Say:

1. Yes, there is a table in the corner over there.
2. Yes, what is there to eat?
3. Me too. I love cheese and ham.
4. Answer the question.
5. I would like to do some shopping.
6. I want to buy some presents for my family.

Track 19

Exercice 2.13 Au restaurant

You are in a restaurant, and the waiter approaches. HE WILL SPEAK FIRST.
Say:

1. What is the dish of the day?
2. That is fine. I would like two set meals at 10 euros.
3. We are taking the pâté.
4. Answer the question.
5. This fork is a bit dirty.
6. Thank you, that is very kind.

Track 20 Exercice 2.14 Au bureau des objets trouvés

You are in the lost-property office, and approach the person working there. THE EMPLOYEE WILL SPEAK FIRST.
Say:

1 Yes, I hope so. I am looking for my sports bag.
2 It is black and white with Nike on it.
3 Answer the question.
4 A white towel and green swimming trunks.
5 Oh yes, a navy blue jumper.
6 Yes, thank you very much.

Track 21 Exercice 2.15 Chez le médecin

You are in the surgery, and approach the doctor. THE DOCTOR WILL SPEAK FIRST.
Say:

1 Hello, I have a very sore throat.
2 Since yesterday.
3 Answer the question.
4 Yes, a bit. I am also very hot.
5 Is it flu?
6 Must I take something?

Track 22 Exercice 2.16 Je suis malade

You are staying with your French friend, who is making plans for the day. YOUR FRIEND WILL SPEAK FIRST.
Say:

1 No, I prefer to stay at home.
2 I do not feel well.
3 Answer the question.
4 No, I want to stay in bed.
5 Can you go to the pharmacy for me?
6 Thank you. You are very kind.

Track 23 Exercice 2.17 À l'école

You are talking with a school friend. YOUR FRIEND WILL SPEAK FIRST.
Say:

1 I have geography. What do you have?
2 I am quite good at maths.
3 Answer the question.
4 Do you want to come to the park after school?
5 You work too hard.
6 Yes, have a good day.

Track 24

Exercice 2.18 Un échange scolaire en France (a)

You are visiting your French exchange student. THEY WILL SPEAK FIRST.
Say:

1 Yes, thank you. I like travelling by boat.
2 No, I am not too tired.
3 Yes, this is my first visit to France.
4 You have a lovely house.
5 No, thank you, it is fine. No problem.
6 Answer the question.

Track 25

Exercice 2.19 Un échange scolaire en France (b)

You are having a meal with your French exchange student, and speak to the student's mother. SHE WILL SPEAK FIRST.
Say:

1 It smells good.
2 I am hungry.
3 I don't know. I never eat mussels.
4 Yes, it is really delicious.
5 Yes, I would like more.
6 Answer the question.

Level 2

Open conversation

How the exam operates

This is an open, spontaneous and unprepared discussion, lasting about two minutes, on any/all of the topics listed in Level 1 (see 'Prepared topics' above). It should not overlap with the candidate's prepared topic. This is an opportunity for the candidate to show fluency and knowledge of the language (including the **passé composé**, as well as the present tense and the near future for the highest marks).

The open conversation will be marked out of 8 according to the same mark scheme as the Level 2 prepared topic: see the assessment criteria set out at the end of this book.

Track 26–40

Exercice 3.1–3.15

Play each track to hear examples of questions you could be asked in this part of the exam. Answer each question without preparing anything. Try to use a variety of tenses if you can.

2 Listening

How the exam operates

There will be a number of recorded short passages. Instructions will be given in English. There will be 25 questions (usually arranged in five sections) in **Levels 1 and 2**. There will be a range of test types with instructions in English: these might include multiple choice, true/false, table/grid completion, putting symbols on a map/plan, box-ticking, matching the recording with visual/verbal options, completing sentences/pictures, linking opinions with speakers, correcting a passage with mistakes highlighted, choosing correct answers or answering questions in English.

The following exercises, grouped by sections, are a selection from the varied styles listed above. They are all typical examples to be found in the exam. In each case, play the audio track and follow the instructions given in the question.

Track 41

Exercice 4.1 Ma journée

Listen to the audio track and choose a picture to show the correct answer to each question, as in the example. *(You will hear each sentence twice.)*

What does the speaker mention first?

Aujourd'hui, je vais à l'école en voiture.

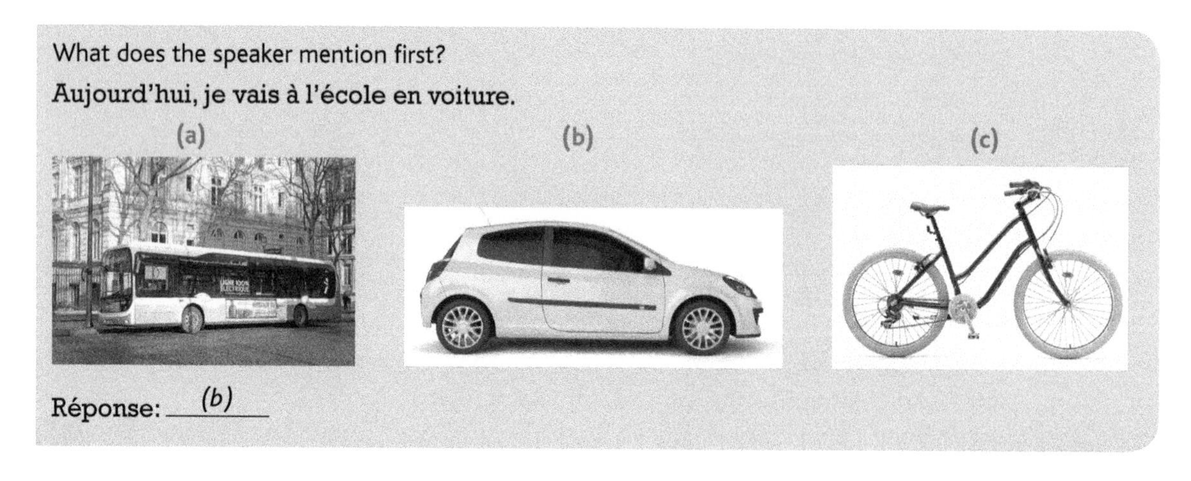

Réponse: *(b)*

1 What time does the English lesson start?

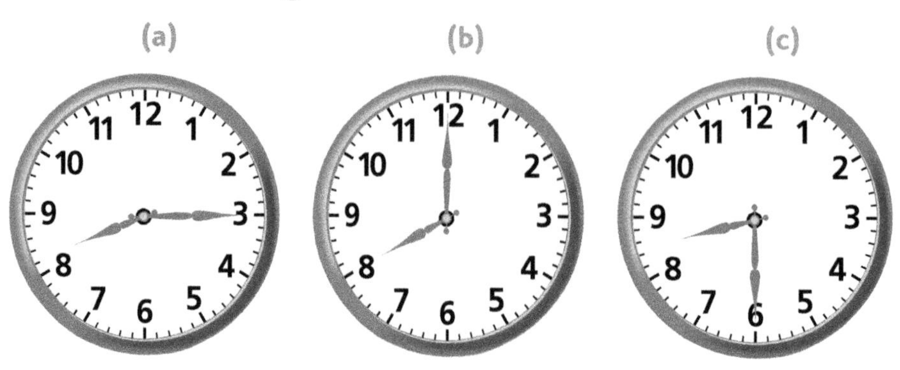

____

2 What happens at midday?

(a) (b) (c)

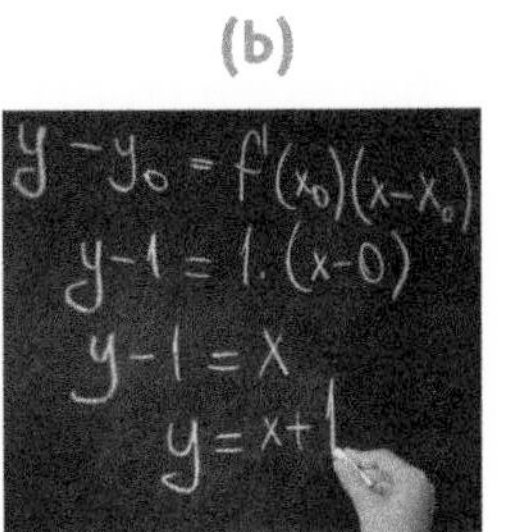

____

3 What will the speaker do this afternoon?

(a) (b) (c)

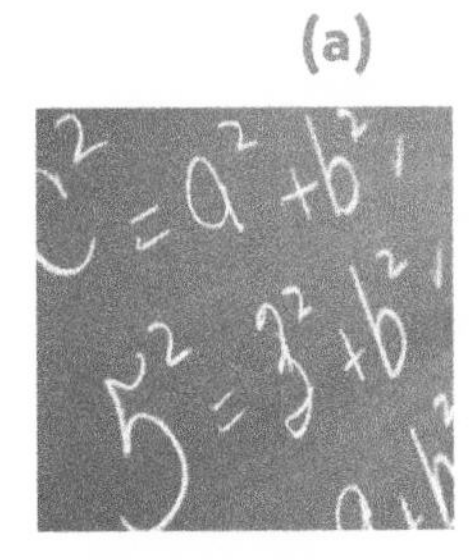

____

4 What does the speaker do at break time?

(a) (b) (c)

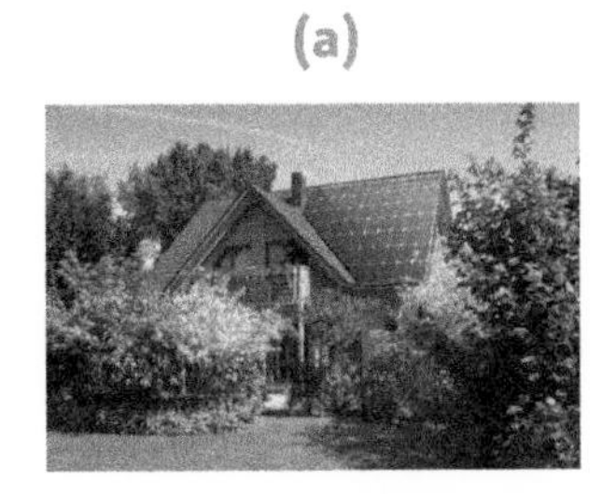

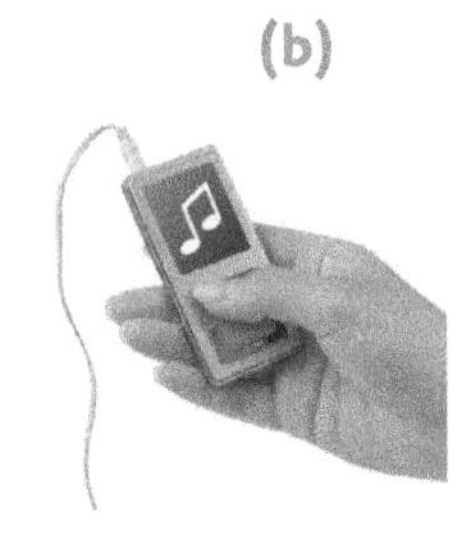

____

5 What will the speaker do after school?

(a) (b) (c)

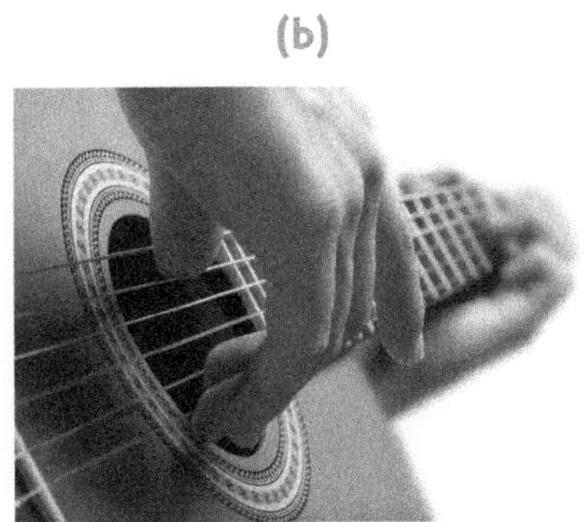

____

Track 42

Exercice 4.2 Le week-end

Listen to the audio track and choose a picture to show the correct answer to each question, as in the example. *(You will hear each sentence twice.)*

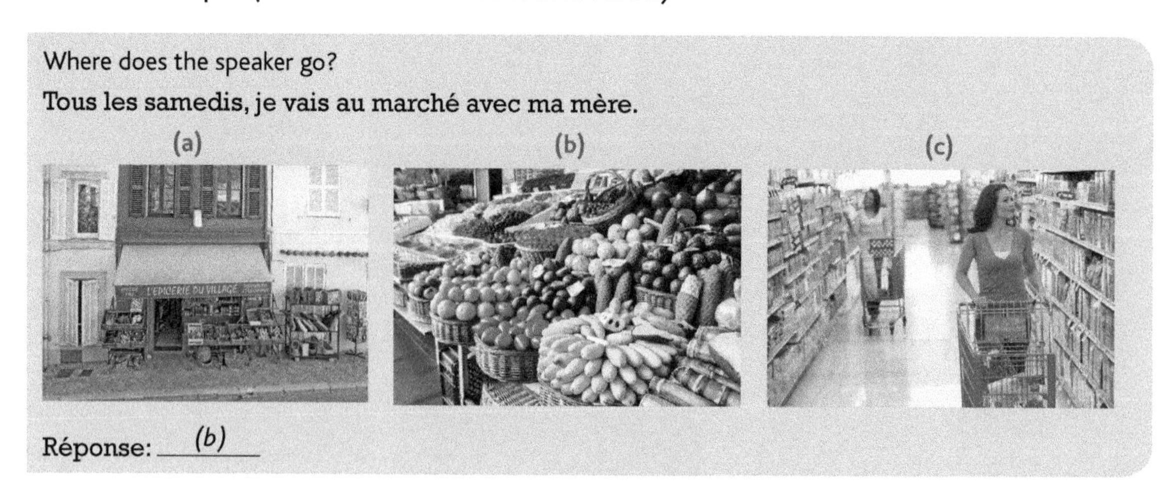

Where does the speaker go?

Tous les samedis, je vais au marché avec ma mère.

(a) (b) (c)

Réponse: *(b)*

1 How do they get there?

(a) (b) (c)

____

2 What time does it leave?

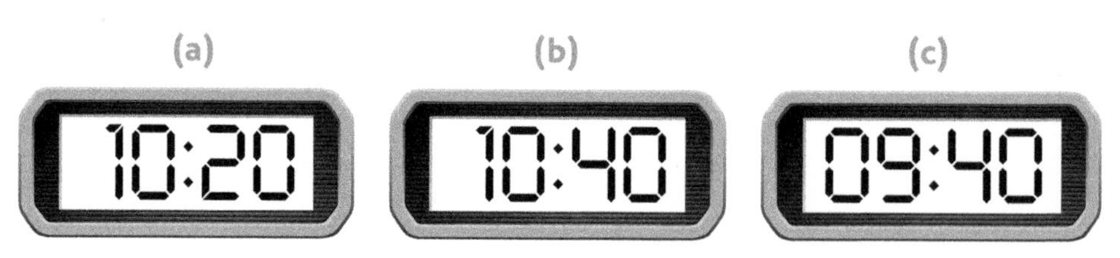

(a) (b) (c)

____

3 What do they buy?

(a) (b) (c)

____

4 What does the speaker look at next?

(a) (b) (c)

____

5 Where do they go next?

(a)

(b)

(c)

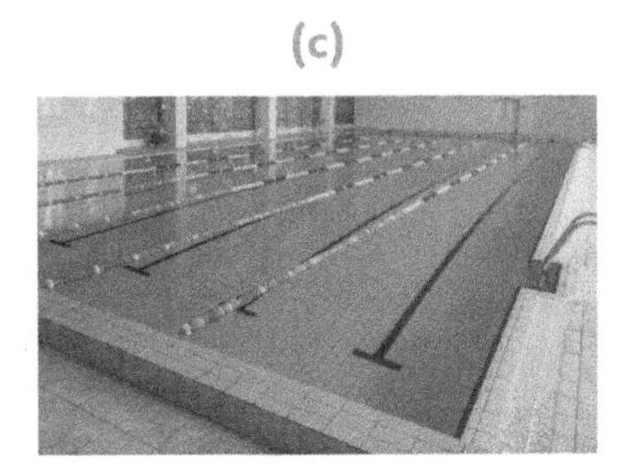

____

Track 43

Exercice 4.3 En vacances

Listen to the audio track and choose a picture to show the correct answer to each question, as in the example. *(You will hear each sentence twice.)*

When are they going on holiday?

Nous partons en vacances le dix juillet.

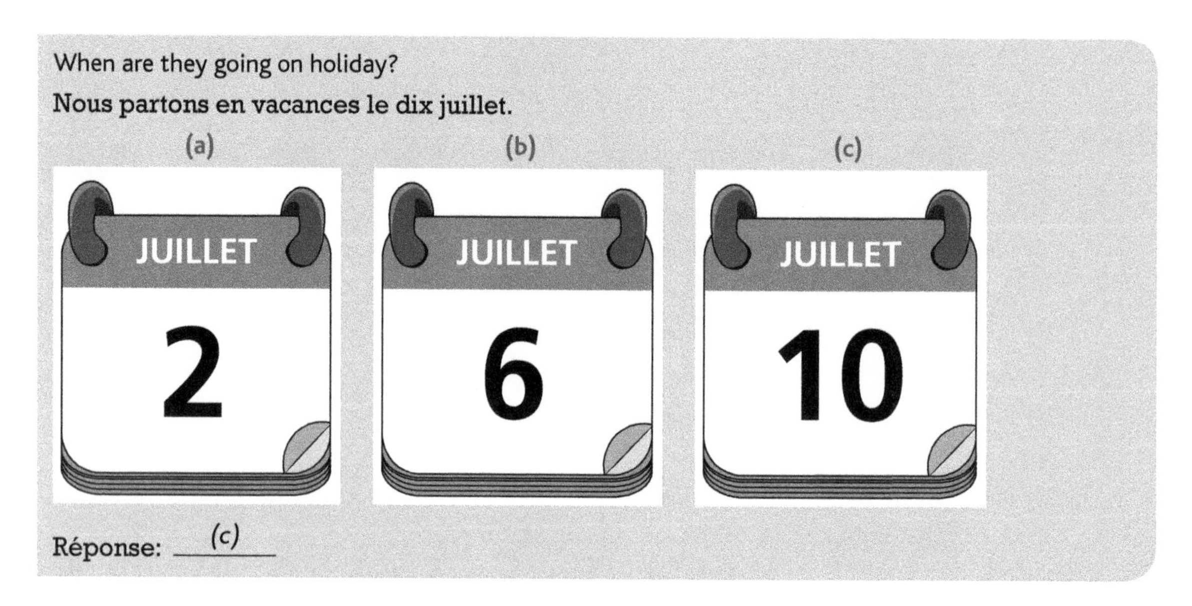

Réponse: *(c)*

1 Where are they going?

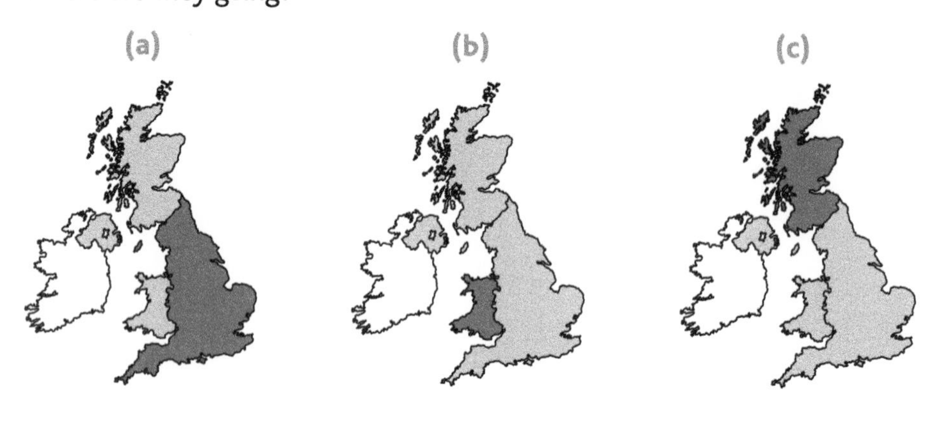

____

2 Who is travelling with the speaker?

____

3 How are they travelling?

(a) 

(b) 

(c) 

____

4 Where is the hotel?

(a) 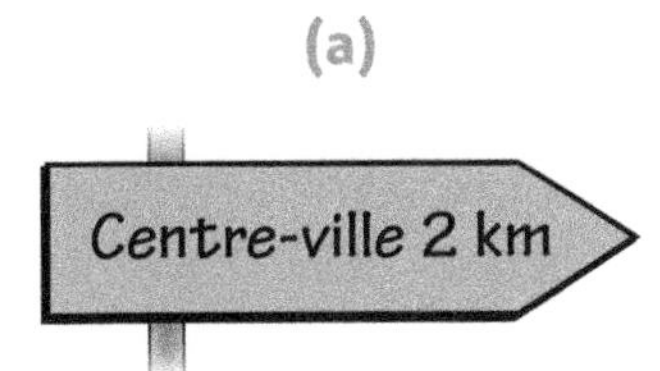

(b) 

(c) 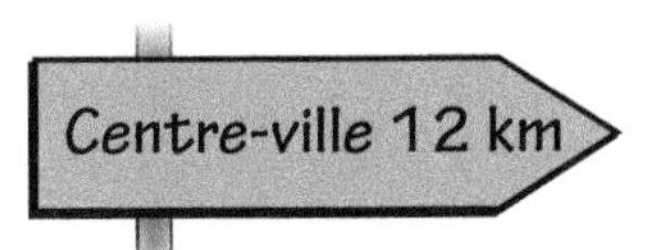

____

5 What will they visit?

(a) 

(b) 

(c) 

____

Track 44

Exercice 4.4 À l'école

Listen to the audio track and choose a picture to show the correct answer to each question, as in the example. *(You will hear each sentence twice.)*

How many pupils are in the school?

Il y a deux cents élèves dans mon école.

(a)	(b)	(c)
100	200	250

Réponse: *(b)*

1 How does the speaker go to school?

(a) (b) (c)

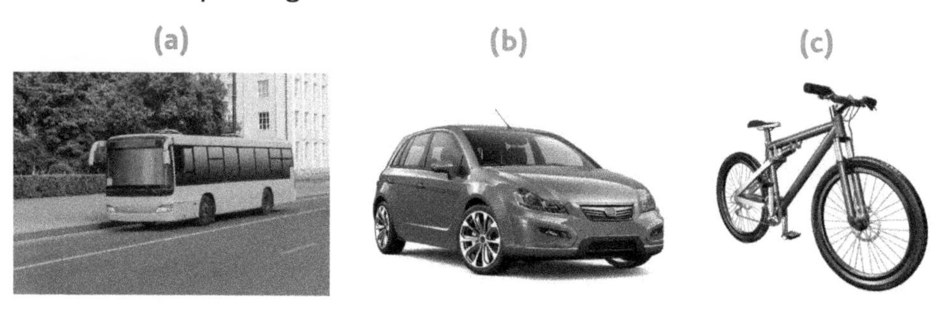

____

2 What time does the speaker arrive?

(a) (b) (c)

____

3 What subjects does the speaker have today?

(a) (b) (c)

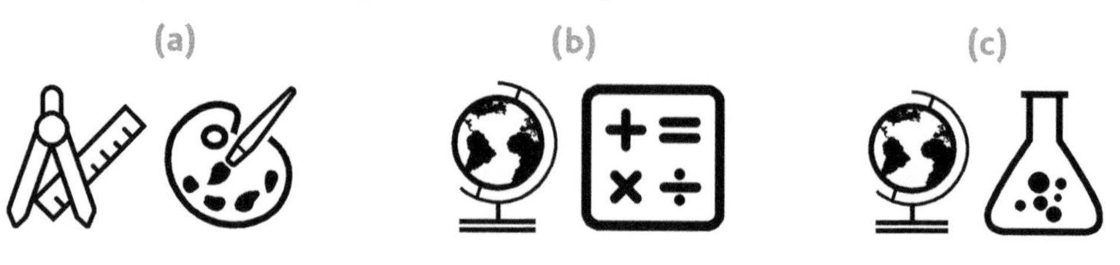

____

4 What is the speaker's favourite subject?

(a) 

(b) 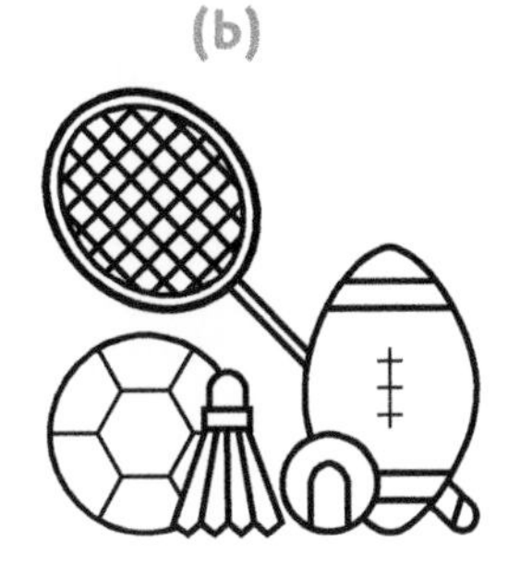

(c) 

____

5 Where is the speaker going after school?

(a) 

(b) 

(c) 

____

Track 45

Exercice 5.1 On prépare un pique-nique

Listen to the audio track and answer the questions in English.

1 The girl suggests having a picnic by the ______ .

2 The boy suggests hiring a ______ there.

3 Which **three** things does the girl suggest buying to eat? Choose from the following list.

Cooked sausage	Cheese
Yoghurt	Ham
Pâté	Oranges
Salad	

4 The boy says not to forget to buy ______ .

5 They also decide to buy ______ .

Track 46

Exercice 5.2 À la boulangerie

Listen to the audio track and answer the questions in English.

1 The customer buys two ______ .

2 The customer buys ______ chocolate rolls.

3 The apple tart costs ______ euros.

4 The total cost is ______ euros and ______ cents.

5 The value of the customer's note is ______ euros.

Track 47

Exercice 5.3 Au restaurant

Listen to the audio track and answer the questions in English.

Which ingredients make up a Coupe liégeoise? Choose **three** ingredients from the following list.

Banana
Hazelnuts
Coffee ice cream
Apple
Whipped cream
Meringue
Chocolate sauce

1 Ingredient: ______________

2 Ingredient: ______________

3 Ingredient: ______________

4 The boy decides not to have Coupe liégeoise because he does not like ______ .

5 The boy orders ______ instead.

Track 48

Exercice 6.1 À l'office de tourisme

Listen to the audio track and decide whether the following sentences are true or false.

1 The town plan shows all the main buildings of the town.

2 The man mentions a castle, a museum and a swimming pool.

3 The castle is open on Mondays.

4 The castle has free entry.

5 A visit to the castle takes at least two hours.

Track 49

Exercice 6.2 À la gare

Listen to the audio track and decide whether the following sentences are true or false.

1 The girl wants to travel to Toulouse today.

2 She would prefer to travel in the morning.

3 The 10.20 train arrives in Toulouse at 13.00.

4 She will have to change trains.

5 It is advisable to reserve a seat.

Track 50

Exercice 6.3 Au téléphone

Listen to the audio track and decide whether the following sentences are true or false.

1 Anne is arriving in Nice tomorrow.

2 She is travelling by coach.

3 She will arrive at 8.20.

4 Jean-Marc advises Anne to take a taxi.

5 They agree to meet at the station exit.

Track 51

Exercice 7.1 On achète des glaces

Listen to the audio track and choose one of the four possible answers to each question.

1 How many flavours of ice cream are available?

(a) Two
(b) Three
(c) Four
(d) Five

2 Which flavour would the boy have preferred?

(a) Strawberry
(b) Pistachio
(c) Coffee
(d) Chocolate

3 Which flavour does the boy buy for his friend?

(a) Chocolate
(b) Vanilla
(c) Pistachio
(d) Coffee

4 How much do the ice creams cost?

(a) Five euros
(b) Six euros
(c) Seven euros
(d) Eight euros

5 What does the boy realise?

(a) He has left his wallet at the hotel
(b) Someone has stolen his wallet
(c) He cannot find his friend
(d) He does not have enough money

Track 52

Exercice 7.2 On va en ville

Listen to the audio track and choose one of the four possible answers to each question.

1 Where does the boy suggest they go that afternoon?

(a) The cinema
(b) The swimming pool
(c) The beach
(d) The theatre

2 Why does the girl not want to go there?

(a) It is too cold
(b) She has no money
(c) She cannot swim
(d) She finds it boring

3 What do they decide to do in town?

(a) Buy a present for the boy's brother
(b) Go to the café
(c) Buy some food for a picnic
(d) Go to the library

4 What time is the bus into town?

(a) 10.15
(b) 12.00
(c) 13.15
(d) 15.01

5 Where do they decide to meet?

(a) In the town centre
(b) At the bus stop
(c) At the boy's house
(d) At the girl's house

Track 53

Exercice 7.3 Au cinéma

Listen to the audio track and choose one of the four possible answers to each question.

1 At what times is the film being shown today?

(a) 13.00 and 16.00
(b) 14.30 and 18.30
(c) 15.00 and 18.30
(d) 15.15 and 20.30

2 What time does the first showing end?

(a) 15.45
(b) 17.20
(c) 17.45
(d) 20.00

3 How old is the girl?

(a) 13
(b) 14
(c) 15
(d) 16

4 How much do they pay for their tickets?

(a) 8 euros

(b) 10 euros

(c) 12 euros

(d) 14 euros

5 What does the girl ask?

(a) Where the refreshments are

(b) Where the screens are

(c) Where the box office is

(d) Where the toilets are

Track 54

Exercice 8.1 À l'hôtel

Listen to the audio track and answer the questions in English.

1 How many nights has M. Duclos booked?

2 Which rooms has his family been given?

3 Where are these rooms exactly?

4 What is the advantage of these rooms?

5 Where is the dining room?

Track 55

Exercice 8.2 À la plage

Listen to the audio track and answer the questions in English.

1 What is the first thing the boy says?

2 What has he lost?

3 What does the girl suggest he may have done?

4 Where does the girl find it?

5 Who goes to buy the ice creams?

Track 56 Exercice 8.3 Au téléphone

Listen to the audio track and answer the questions in English.

1 Where is Sylvie?

2 What does her mother say about when she will be back?

3 What message does Julien leave for her?

4 When can Sylvie ring him?

5 Why will he be at home at that time?

Track 57 Exercice 8.4 Une Française à Londres

Listen to the audio track and answer the questions in English.

1 What is the girl's first question?

2 What does the boy not know?

3 What does he know?

4 What does the girl ask next?

5 Give the precise directions that the boy gives her.

Track 58 Exercice 8.5 Au restaurant

Listen to the audio track and answer the questions in English.

1 What does the boy think of the meal?

2 What does the girl say she is about to do?

3 What does the boy ask next?

4 What does the girl say in answer to his question?

5 What do they discover before they pay?

Track 59 Exercice 8.6 On choisit un cadeau

Listen to the audio track and answer the questions in English.

1 Why has the boy come into the shop?

2 What is the first item he looks at?

3 Why does he particularly like it?

4 How much is it?

5 What does the boy decide to do?

3 Reading

How the exam operates

Instructions will be given in English. In **both Levels 1 and 2**, there will be 25 questions on a number of short passages, arranged in five sections. There will be several exercises of differing length, covering a range of different approaches to the development of reading skills, for example gap-filling, multiple choice, matching headings to texts, matching pictures to descriptions, matching two halves of a sentence, matching questions and answers, matching people and opinions, choosing a number of correct answers.

Exercice 9.1

Michel is talking about a typical day. Choose a word from the options below to fill each gap, as in the example:

Je *m'appelle* Michel. J'ai treize ans.

maison ~~**m'appelle**~~ **anglais** **travailler**
route **voiture** **matin**

Bon, normalement, le ______ je vais à l'école en ______ avec papa. Il conduit assez vite. Il a beaucoup de ______ à faire, et on quitte toujours la ______ en retard. Au collège cette année je suis en sixième, donc on a deux heures d'______ par semaine.

Exercice 9.2

Marie-Annick tells us about her weekend. Choose a word from the options below to fill each gap, as in the example:

Je *suis* Marie-Annick. J'ai treize ans.

jeux ~~**suis**~~ **souvent** **rester** **petit** **passe** **petits**

D'habitude, je ______ le week-end à faire des activités sportives en plein air. Quand il fait beau, je déteste ______ à l'intérieur. Je joue ______ avec mes deux ______ frères, qui ont six et quatre ans.

S'il pleut on fait des ______ de société ou on regarde un DVD dans le salon.

Exercice 9.3

You are looking for weekend lessons for yourself and for your uncle, cousin and sister. You see these adverts in the local paper. Answer each question on the following page by giving the letter of the correct advert.

Cours et leçons

(a) **PROF DE LATIN** pour adultes région Nantes donne cours privés tous niveaux. Se déplace. 20€/h

(b) **DONNE COURS** de français: Jeune étudiante niveau bac+ donne cours aux élèves de 6e 5e préparation examens. 17€/h

(c) **MATHÉMATICIEN PROF** expérimenté donne cours aux étudiant(e)s bac prép. entrée univ. 25€/heure

(d) **JH ÉTUDIANT** donne cours de mathématiques tous niveaux, tous âges, réussite assurée. 18€/h

(e) **ANGLAISE RETRAITÉE** donne leçons d'anglais. Ancien prof en Écosse.

(f) **JF DONNE** cours de mathématiques aux lycéen(ne)s le mercredi. 22€/h

1 Imagine that you are not very good at maths. Which teacher will you choose for yourself?

2 Your uncle, aged 35, wants to study Latin. Is there a suitable teacher? If so, which?

3 What about your cousin, who is terrible at French? Which advert should she read?

4 Your sister needs maths lessons but is not free at the weekend. Is there a teacher she could contact?

5 Which of the teachers advertising here is not French?

Vocabulary	
privé	private
le niveau	level, standard
le bac (baccalauréat)	exam, equivalent of A levels
le bac+	study after A level
JH (jeune homme)	young man
réussite assurée	success guaranteed
JF (jeune femme)	young woman
le lycéen, la lycéenne	secondary school student

Exercice 9.4

Read the four texts and the statements that follow. Work out which person (Marianne, Magali, Stéphane or Patrick) makes each statement, as in the example:

Moi et mes amis, on est très sportifs.
Patrick

Marianne

En France presque tous les écoliers sont externes. Ils arrivent à l'école le matin, et rentrent à la maison tous les soirs. Moi, je suis donc exceptionnelle! Je suis pensionnaire parce que mon père est militaire, alors nous changeons de domicile tous les deux ans. Quand mon père revient après une absence de quelques mois, on fête son arrivée!

Magali

Au collège, je suis un peu triste le week-end, car nous ne sommes pas nombreuses dans le pensionnat, mais les surveillantes qui restent pour nous garder sont très gentilles. On n'a pas le droit de sortir en ville le week-end, mais on s'amuse assez bien entre nous.

Stéphane

Ça fait un an et demi que je suis pensionnaire à Lyon, parce que l'école près de notre ferme n'existe plus. Je n'aime pas vivre comme ça, et j'écris toutes les semaines à mon père pour lui demander de trouver une solution. Je rentre chez moi tous les week-ends, mais c'est de plus en plus difficile de repartir le dimanche soir.

Patrick

J'adore rester à l'école le week-end. J'ai de très bons copains et on joue au foot ou au basket ensemble, et il y a plein d'autres choses à faire. Il y a des surveillants qui sont assez sympas. On mange bien et on regarde des tas de trucs à la télé. J'ai l'impression qu'on nous plaint, mais il ne faut pas. Moi, ça va!

1 Dans l'ensemble, j'aime mon collège.
2 Mon école a fermé ses portes il y a dix-huit mois.
3 La cuisine à mon école est assez bonne.
4 J'aimerais aller au cinéma le samedi soir, mais c'est interdit.
5 Mon père est officier de l'armée de l'air.

Exercice 9.5

You receive an email. Read the message, then complete the sentences below by choosing from the options.

Salut!

Tu es mon nouveau correspondant! J'ai reçu tes coordonnées mardi matin, grâce au service de correspondance électronique de notre collège. Je vais te parler un peu de moi-même, et j'espère que tu veux me répondre. Il paraît que tu aimes les mêmes choses que moi: les vêtements, les chevaux, le char à voile. Tu aimes aussi le tennis: moi, j'adore le tennis. Tu es déjà allé à Wimbledon? Moi, l'année dernière, je suis allée avec mon père à Roland-Garros. C'était sublime. Regarder le tennis à la télé, ce n'est pas du tout la même chose.

Je ne comprends pas pourquoi tu as horreur des chiens: moi, je les adore. Au collège, je ne suis pas très forte en maths, mais j'aime pratiquement toutes les autres matières. Pourtant, je n'arrive pas à jouer d'un instrument de musique. Mon père me dit que je n'ai pas l'oreille musicale!

Et toi? J'attends de tes nouvelles.

À bientôt,

Natacha

1 Natacha is writing to a ____. — boy / girl
2 Natacha is interested in ____. — horses / swimming
3 Natacha's favourite sport is ____. — sand-yachting / tennis
4 She finds ____ difficult. — French / maths
5 Natacha ____ a musical instrument. — plays / does not play

Vocabulary	
il paraît que	it seems that
sublime	wonderful, perfect
même	same
avoir horreur de	to hate

Exercice 9.6

Véronique tells us about her holiday and her animals. Choose a word from the options below to fill each gap, as in the example:

Je m'appelle Véronique. J'ai *quatorze* ans.

photos **~~quatorze~~** **préférée** **allés** **vraiment**
pensent **préférer**

Ma destination ____ de vacances, c'est l'Italie. On y est ____ l'année dernière et c'était épatant. J'ai des amis qui ____ que visiter les monuments historiques, c'est nul. Moi, ça m'intéresse beaucoup. On est allés à Rome, la capitale italienne, où j'ai pris des centaines de ____!

On a vu le forum romain, la fontaine de Trevi et bien d'autres choses. Mais pour moi le clou du séjour, c'était le Colisée. C'est ____ incroyable.

Vocabulary	
épatant	amazing
le clou du séjour	the high point of the holiday

Exercice 9.7

You are on holiday in France. You are spending a week with your parents, brother and sister at Le Paradis campsite near the sea. Read the brochure and answer the questions in English.

Camping-Caravaning

LE PARADIS

85 Ste-Hermine, France

Bienvenue dans notre camping!

Tarif	**par 24 h**
Emplacement tente moyenne (2 à 6 pers.)	€ 12,00
Emplacement petite tente (1 à 2 pers.)	€ 9,00
Emplacement caravane	€ 19,00
Branchement électrique	€ 4,00

NOS SERVICES:

Bloc sanitaire (WC, lavabos, douches, lave-linge) ouvert 24h/24h.

Restaurant ouvert de 12 h à 15 h et de 19 h à 23 h tous les jours sauf le mercredi soir.

Salle de jeux (tennis de table, babyfoot) ouverte toute la journée jusqu'à 22 h.

Alimentation à la réception, ouvert de 7 h à 11 h 45 et de 15 h à 20 h tous les jours.

Boulangerie à commander à la réception pour le lendemain.

Afin de respecter le calme des autres, nous vous demandons d'éteindre vos radio et poste de télévision dès 23 h.

Les chiens doivent être tenus en laisse.

Merci et bonnes vacances!
La Direction

1. How much would it cost for a caravan with electricity supply for one night?
2. How much would your family (as described above) have to pay for one night with a tent?
3. Where would you find basic general supplies?
4. What do you need to do to get bread?
5. What are you supposed to do after 11 p.m.?

Vocabulary	
un emplacement	pitch (for a tent or caravan)
le branchement	connection
le lavabo	washbasin
jusqu'à	until
l'alimentation (f.)	food, groceries
commander	to order
afin de	in order to
éteindre	to turn off (electrical appliances)
dès	from, starting at, as from

Exercice 9.8

Read this extract from a tourist guide to Avignon.

1 Notre tour comprend une visite guidée tous les jours pendant votre séjour. Nous vous proposons le pont Saint-Bénézet (plus connu sous le nom « le pont d'Avignon »), le palais des Papes, la rue des Tinturiers, et le rocher des Doms.

2 La réalité du pont Saint-Bénézet contredit les paroles de la chanson « Sur le pont d'Avignon ». Ce n'était pas possible de danser en rond, parce qu'il n'y avait pas assez de place – le pont était trop étroit. On pense maintenant qu'on a dansé à l'auberge située sous le pont au pied d'un pilier.

3 Après notre visite du pont, nous allons emprunter une des petites rues de la vieille ville pour nous rendre au Palais des Papes, où les maîtres de l'Église romaine ont demeuré de 1309 à 1378. C'est un des papes qui a acheté ce palais à la comtesse de Provence: le palais a été rendu à la France en 1791.

1 Choose a title for each of the **three** paragraphs above from the following list:

(a) Modern buildings of Avignon

(b) The famous song

(c) Welcome to Avignon

(d) A little history lesson

(e) Agriculture in Avignon

2 Choose the correct option to complete each of these sentences:

(a) There was not enough room to dance ______ the bridge. on / under

(b) The Palace of the Popes now belongs to ______. Rome / the French Republic

Exercice 9.9

Read the passage in Exercise 9.8 and answer these questions in English.

1 How often is there a guided tour?

2 What is the more correct name for the pont d'Avignon?

3 Why is the traditional story of the dancing on the bridge in some doubt?

4 Where is it now thought that the dancing happened?

5 Which route will the tour take after the bridge?

Exercice 9.10

Paul tells us about his house. Read the passage and answer the questions in English.

Depuis l'âge de trois ans, j'habite ici à Troyes. C'est une ville historique et intéressante. Il faut absolument passer par ici si vous êtes dans la région de Champagne-Ardennes. Ma mère est née ici, pourtant mon père vient de Perpignan.

La maison où j'habite est vieille. On l'a construite en 1875. J'ai des amis qui aiment venir chez moi, surtout qu'ils habitent des quartiers où il n'y a que des pavillons modernes.

Au premier étage il y a deux chambres: ma chambre et la chambre de mes parents. Je partage ma chambre avec mon frère Matthieu. La chambre de ma sœur est au deuxième étage ainsi que celle de ma grand-mère. À côté de la chambre de mes parents se trouve le bureau de mon père. Mon père est notaire. Il passe beaucoup de temps à travailler à la maison, même le week-end.

1 Paul is 12. How long has he lived in Troyes?

2 Which French region is Troyes in?

3 Why do some of Paul's friends like coming to his house?

4 Apart from Paul and his brother, sister and parents, who else lives in the house?

5 How do we know Paul's father works hard?

Vocabulary	
par ici	this way
pourtant	however, and yet
surtout que	especially since, especially as
un pavillon	small suburban house, bungalow
dont	of which
ainsi que	as well as
un notaire	lawyer (similar to solicitor)

Exercice 9.11

Read the passage, and then select the **five** statements that are **true**.

Je suis Stéphane. J'habite à Lille, dans le nord industriel de la France. L'année dernière on est allés au bord de la mer, mais je préfère la montagne, où on peut faire beaucoup de choses différentes. La montagne, ce n'est pas seulement pour ceux qui aiment la neige: en été on peut découvrir un monde de nature et de beauté. Il y a deux ans, on est allés dans les Pyrénées, près de la frontière espagnole. Cette année-là, il a fait très chaud au bord de la mer, mais nous, on a fait des promenades et des randonnées presque tous les jours. Ma sœur et mon père aiment découvrir de nouvelles fleurs et plantes, et moi, j'aime respirer l'air frais, faire du VTT dans la forêt et me baigner dans la piscine de l'hôtel.

J'ai fait de nouveaux amis: deux garçons français de mon âge – j'ai treize ans – et un « grand » Andorran de quinze ans. Il adore la forêt, les animaux sauvages et ses paysages. De plus, il parle couramment trois langues! Je veux revenir le plus tôt possible.

1 Stéphane habite au bord de la mer.

2 Stéphane est allé à la plage l'année dernière.

3 C'est une bonne idée d'aller à la montagne en été.

4 À la montagne, on trouve les mêmes fleurs et les mêmes plantes qu'à Lille.

5 À l'hôtel, c'était possible de faire de la natation.

6 L'Andorran était plus âgé que Stéphane.

7 Stéphane veut retourner bientôt dans les Pyrénées.

Vocabulary	
un Andorran	Andorran (someone from Andorra)
le paysage	countryside, landscape

Exercice 9.12

After the holidays, you receive postcards from five of your French friends. Use the description of each person below to help you work out who sent each postcard.

Antoinette	Étudiante très sérieuse et travailleuse, qui aime l'histoire et le soleil.
Véronique	Fille sportive qui déteste le mauvais temps.
Georges	Lycéen qui travaille assez bien mais qui passe beaucoup de temps à jouer de son instrument à cordes.
Marc	Collégien de Nantes, il a un frère et une sœur plus âgés que lui. Il n'aime pas beaucoup regarder les vieux films.
Marie-Claire	Fille d'un fermier, Marie-Claire ne va pas souvent en ville, mais cette année, elle aurait bien aimé visiter la capitale.

1

Salut!

On se régale ici! On fait des tas de trucs mais ce que j'aime le plus ce sont les randonnées. Il fait assez chaud, mais pas trop. Il n'a pas plu une seule fois, heureusement.

Ciao! ________________

2

Bonjour!

Tu vas bien? C'est la première fois que je suis venue à Paris! C'est extra mais la circulation, c'est incroyable!

On se verra à Noël, n'est-ce pas?

Bonnes bises, ________________

3

Salut,

Nous voici à Toulouse! Je suis avec Tony et Sonia. Nos parents sont allés au ciné, nous on se repose dans un café – c'est fatigant le shopping!!

Bisous, ________________

4

Mon cher Charles,

Tu aimerais cette ville: beaucoup de touristes mais aussi beaucoup de choses à faire et à voir. Le bâtiment historique que j'ai le plus aimé, c'est le Palais des Papes. Il fait très chaud, mais moi, ça m'est égal.

À bientôt, ________________

5

Un mot de l'aéroport en attendant le départ de notre vol. Chez le marchand de journaux j'ai trouvé plein de magazines de musique. J'ai choisi « Guitariste ». C'était assez cher mais très intéressant.

À plus, ________________

Vocabulary	
un instrument à cordes	string instrument
un(e) collégien(ne)	11- to 14-year-old pupil
se régaler	to have a really good time
des tas de trucs	loads of stuff
incroyable	incredible
ça m'est égal	it is all the same to me, I do not mind
plein de	plenty of

Exercice 9.13

You see this article in a French regional newspaper about a burglary.

Cambriolage aux Hirondelles

1 UN CAMBRIOLEUR est entré par la porte-fenêtre du salon, qui donne sur un balcon de 5 ou 6 mètres carrés. Il est fort probable qu'il est entré de cette façon facilement, car le propriétaire ne sait pas si la porte-fenêtre était fermée ou non.

2 Monsieur Gainsbourg, propriétaire de l'appartement du premier étage de l'immeuble aux Hirondelles, dans un quartier calme, regrette d'avoir laissé tous ses achats au milieu du salon ce matin même, puis d'être tout de suite sorti chercher sa fille à l'aéroport. En rentrant, deux heures plus tard, il a trouvé la porte d'entrée ouverte et a tout de suite compris que c'était un cambriolage. Sa fille a téléphoné immédiatement à la police sur son portable.

3 On a interrogé les voisins et les habitants du quartier, mais personne n'a pu aider la police. Les objets volés (un lecteur, des disques, des livres et une trompette japonaise) laissent à supposer que le criminel s'intéresse à la musique!

1 Match each of these titles to the correct paragraph in the text:

(a) La raison de l'absence de M. Gainsbourg

(b) Ce que le cambrioleur a volé

(c) Il est entré par le balcon!

2 Answer these questions in English:

(a) What does the owner say he now regrets?

(b) Why did he leave the flat in a hurry?

Vocabulary	
tous ses achats	all his shopping
le cambrioleur	burglar
la porte-fenêtre	the French window
au milieu de	in the middle of
ce matin même	this very morning

Exercice 9.14

Joséphine tells us about her birthday. Choose a word from the options to fill each gap, as in the example:

Salut. Moi je m'appelle Joséphine. Cette *année* j'ai fêté mon treizième anniversaire.

formidable **bon** **~~année~~** **réveillée** **lire** **meilleure** **photos**

J'ai reçu trois livres. Ma tante Julie sait que j'adore ______, donc j'ai reçu trois livres de sa part. Ils étaient magnifiques, pleins de ______ de chiens et de chevaux.

Nous, à la maison, on a deux chiens qui s'appellent Mézi et Chouchou. Ils sont adorables mais ils ne sont pas très intelligents! Le jour de mon anniversaire ma mère m'a ______ à sept heures et demie. Si je dormais toujours, c'est que la veille il y avait une fête chez ma ______ amie Tochiko. On a écouté de la musique et on a dansé. On a bien mangé aussi. C'était ______!

Exercice 9.15

Read this passage and answer the questions in English.

Le quatorze juillet j'ai appelé mon copain Patrick pour l'inviter chez nous le soir. On fait toujours la fête, le quatorze juillet. Mon père invite tous les voisins dans le jardin pour un barbecue. Les invités apportent des viandes et d'autres plats, et c'est maman qui organise le repas avant de tout passer à papa pour le barbecue. Il y a d'habitude une vingtaine de personnes, mais cette année il y en a eu trente-deux!

Après le repas, qui finit souvent à minuit, tout le monde rentre les tables et les chaises dans la véranda, et on sort dans la rue pour assister aux grands feux d'artifice du village. Il y a un orchestre et on danse sur la place du village.

Le lendemain, le silence règne partout, et papa ne se lève pas avant midi! Patrick ne veut pas partir à la fin, tellement il s'amuse. Il dit qu'il n'y a jamais rien dans son village, le quatorze juillet. C'est dommage!

1 Why did the writer telephone his friend?
2 Who provides the food for the barbecue?
3 Why does everyone go into the street afterwards?
4 Where is the dance held?
5 What happens in Patrick's village on 14th July?

4 Writing

Level 1 exercises

How the exam operates

Level 1 Writing has four sections:

- Section 1 asks candidates to write six items of vocabulary on a specific topic. (5 marks)
- Section 2 is a grammar multiple-choice exercise. (5 marks)
- In Section 3, candidates write a short sentence in French to describe each of five pictures (one sentence per picture). (10 marks)
- In Section 4, candidates write five short sentences on a given topic from the syllabus. (5 marks)

Section 1

Exercice 10.1 En ville

Make a list in French of **six** places in a town, as in the example.

(The pictures shown are only a suggestion. You may use ***any*** *relevant items of vocabulary.)*

■ *bibliothèque*

(Pictures for Exercise 10.1 continue on the following page...)

Exercice 10.2 À l'école

Make a list in French of **six** of your school subjects, as in the example.

(The pictures shown are only a suggestion. You may use ***any*** *relevant items of vocabulary.)*

■ *français*

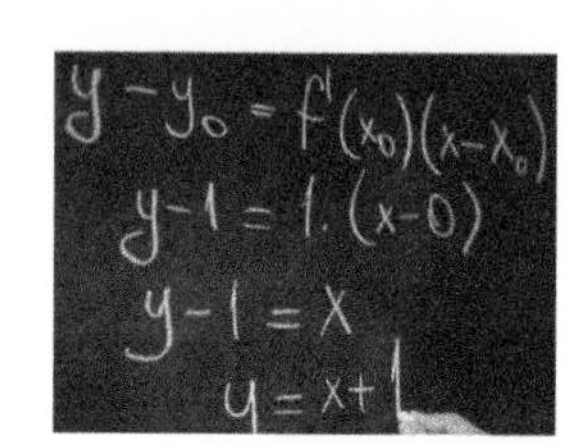

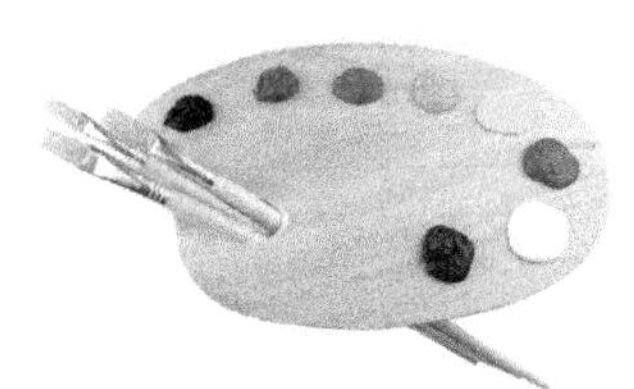

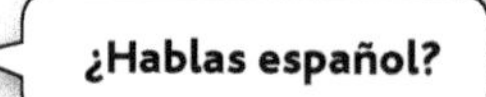

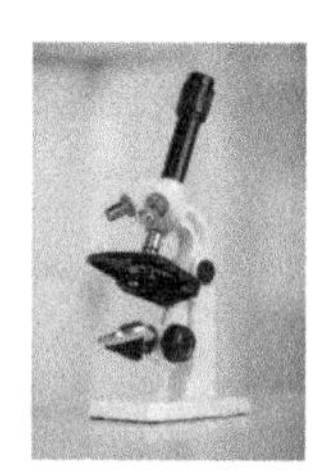

Exercice 10.3 À la maison

Make a list in French of **six** parts of a house, as in the example.

*(The pictures shown are only a suggestion. You may use **any** relevant items of vocabulary.)*

■ *toit*

Exercice 10.4 Le temps libre

Make a list in French of **six** possible activities, as in the example.

(The pictures shown are only a suggestion. You may use ***any*** *relevant items of vocabulary.)*

- *danse*

Exercice 10.5 Le cours de maths

Make a list in French of **six** items that your friend will need, as in the example.

(The pictures shown are only a suggestion. You may use ***any*** *relevant items of vocabulary.)*

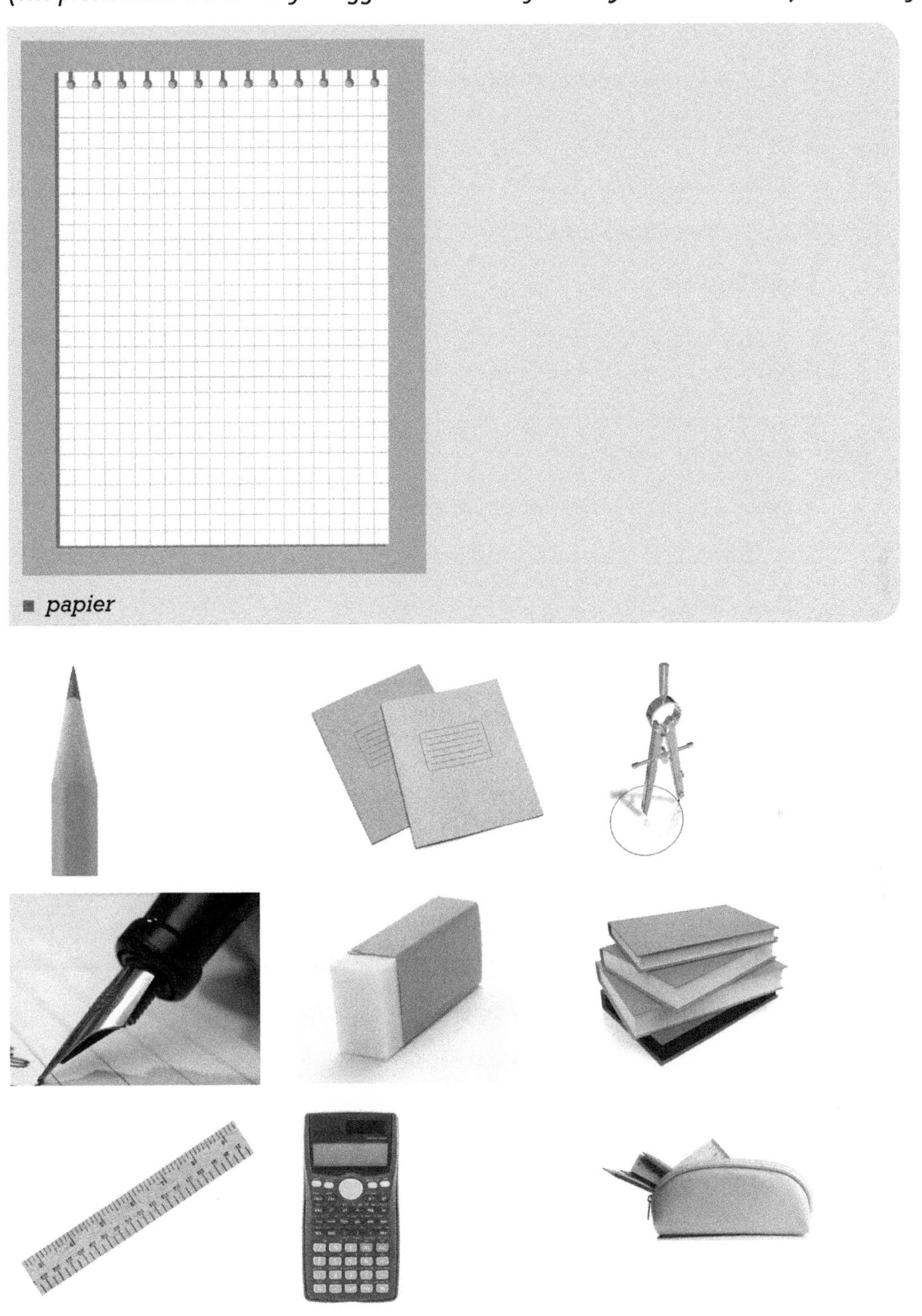

■ *papier*

Section 2

Exercice 11.1

Complete the following sentences by selecting the correct form of the verb or adjective from those given in the brackets.

1 J'_____ à la maison à dix heures. (arrive, arrives, arrivent)

2 Mon ami Paul est très _____ . (grande, grand, grands)

3 Bonjour! Comment _____-vous? (allez, allons, aller)

4 Il _____ beau aujourd'hui. (font, fais, fait)

5 La voiture est _____ . (beau, belle, beaux)

Exercice 11.2

Complete the following sentences by selecting the correct form of the verb or adjective from those given in the brackets.

1 Vous _____ mon nouveau portable? (aimez, aimer, aimes)

2 Mes frères _____ au basket le samedi. (jouons, joue, jouent)

3 Charles et Philippe _____ la télé chez moi. (regarde, regardent, regardez)

4 La robe _____ de Marie-Claude est italienne. (verte, verts, vertes)

5 J'adore _____ animaux. (mon, ma, mes)

Exercice 11.3

Complete the following sentences by selecting the correct form of the verb or adjective from those given in the brackets.

1 À quelle heure est-ce que le film _____ ? (commence, commences, commencent)

2 Les _____ maisons sont belles. (nouveaux, nouveau, nouvelles)

3 La sœur de Marc _____ un vélo neuf. (as, a, avez)

4 Tous les jours, j'_____ un e-mail à ma copine. (écrivez, écrit, écris)

5 Mon père _____ le journal régional. (préférer, préfères, préfère)

Exercice 11.4

Complete the following sentences by selecting the correct form of the verb or adjective from those given in the brackets.

1 Ton ami Marcel est très _____ . (gentille, gentil, gentils)

2 Le tramway _____ en ville. (descends, descendent, descend)

3 Mon oncle et ma tante _____ à trois kilomètres d'ici. (habitent, habites, habite)

4 Cédric _____ à sept heures du matin. (partent, part, pars)

5 Comment vont _____ parents? (ton, ta, tes)

Exercice 11.5

Complete the following sentences by selecting the correct form of the verb or adjective from those given in the brackets.

1 J'aime dessiner les poissons qui ______ . (nage, nagez, nagent)

2 Mon instrument ______ est le piano. (préférée, préféré, préférés)

3 Maman ______ jouer au tennis ce soir. (veux, veulent, veut)

4 Claire et Natalie ______ mes meilleures amies. (est, sont, sommes)

5 Tu ______ du café, papa? (prends, prend, prenez)

Section 3

Exercice 12.1

Write a sentence in French to describe each of these pictures, as in the example:

■ *Le week-end, j'adore faire de la natation.*

1

2

3

4

5

Exercice 12.2

Write a sentence in French to describe each of these pictures, as in the example:

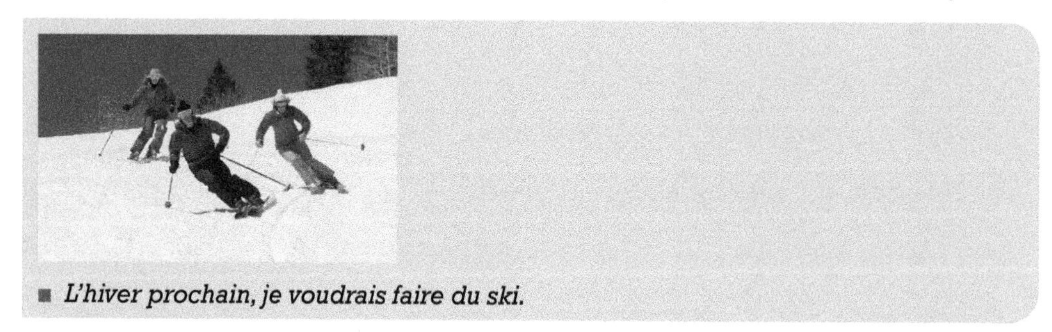

- *L'hiver prochain, je voudrais faire du ski.*

Exercice 12.3

Write a sentence in French to describe each of these pictures, as in the example:

- *J'adore jouer avec mon chien.*

Exercice 12.4

Write a sentence in French to describe each of these pictures, as in the example:

■ *Ma sœur aime écouter de la musique.*

1

3

5

2

4

Exercice 12.5

Write a sentence in French to describe each of these pictures, as in the example:

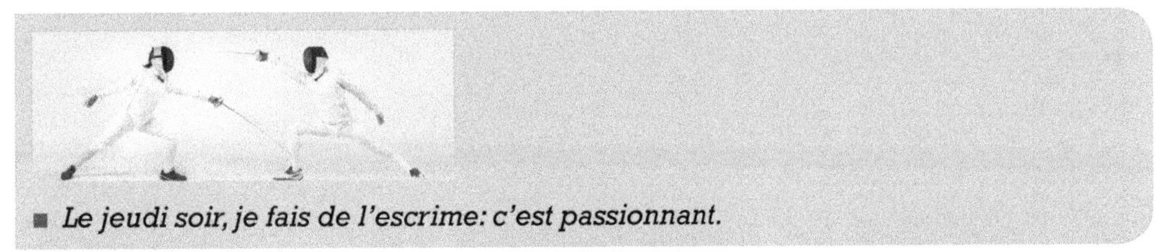

■ *Le jeudi soir, je fais de l'escrime: c'est passionnant.*

1

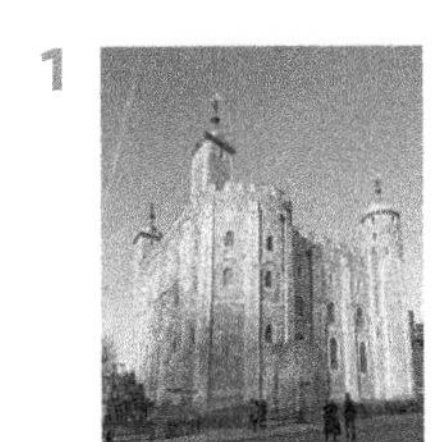

3

5

2

4

Section 4

Here is an **example** of what is required:

Write **five** short sentences in French about: the weather where you live.

1. *En hiver il neige souvent.*

Exercice 13.1

Write **five** short sentences in French about: your life and work at school.

Exercice 13.2

Write **five** short sentences in French about: your family, friends and pets.

Exercice 13.3

Write **five** short sentences in French about: visiting a café or restaurant.

Exercice 13.4

Write **five** short sentences in French about: a town or region.

Exercice 13.5

Write **five** short sentences in French about: what you do in your free time.

Exercice 13.6

Write **five** short sentences in French about: your holiday activities.

Exercice 13.7

Write **five** short sentences in French about: your home, daily routine and chores.

Level 2 Level 2 exercises

How the exam operates

Level 2 Writing has two sections:

- In Section 1, the candidate must translate five simple sentences into French. Key words in each sentence are provided: nouns are given with their gender, verbs are shown in the infinitive, and adjectives in their masculine singular form. Candidates will be expected to use the correct forms of these words, add other words as necessary and make sure that the word order is correct. The verbs **avoir** and **être** will not be given. (10 marks)
- In Section 2, the candidate must write 80 to 120 words, usually in the style of an email, mentioning at least four of the five items listed in the bullet points. This is an opportunity to show knowledge of a wide range of vocabulary as well as correctly conjugated verbs in the past, present and near future tenses. Marks will be awarded for content, accuracy and quality of language, according to the assessment criteria set out at the end of this book. (15 marks)

Exercice 14.1

Use the vocabulary provided to help you translate the following sentences into French.

(You are given the masculine singular form of adjectives, the gender of nouns and the infinitive of verbs (apart from avoir and être). You need to add extra words as necessary and make sure that the word order is correct in French).

1 The yellow T-shirts cost seven euros.
jaune, T-shirt (m.), coûter, euro (m.)

2 My sister wants to eat some French bread.
sœur (f.), vouloir, manger, français, pain (m.)

3 They can watch television after dinner.
pouvoir, regarder, télévision (f.), dîner (m.)

4 My friends are going to stay at my cousin's house.
ami (m.), aller, coucher, cousine (f.), maison (f.)

5 You (*singular*) do not listen to the chemistry teacher.
écouter, chimie (f.), professeur (m.)

Exercice 14.2

Use the vocabulary provided to help you translate the following sentences into French.

(You are given the masculine singular form of adjectives, the gender of nouns and the infinitive of verbs (apart from avoir and être). You need to add extra words as necessary and make sure that the word order is correct in French).

1 His aunt Stéphanie is tall and intelligent.
tante (f.), grand, intelligent

2 The art teacher wants to buy a white car.
dessin (m.), professeur (m.), vouloir, acheter, blanc, voiture (f.)

3 Robert finds Latin easier than maths.
trouver, latin (m.), facile, maths (f.pl.)

4 It often snows in our village in February.
neiger, village (m.), février (m.)

5 Marie is going to come here tomorrow for the party.
aller, venir, fête (f.)

Exercice 14.3

Use the vocabulary provided to help you translate the following sentences into French.

(You are given the masculine singular form of adjectives, the gender of nouns and the infinitive of verbs (apart from avoir and être). You need to add extra words as necessary and make sure that the word order is correct in French).

1 Sandrine gets up at seven o'clock and goes to school by bus.
se lever, heure (f.), aller, école (f.), bus (m.)

(Exercise 14.3 continues on the following page...)

2 We go to the Italian restaurant on Tuesdays.
aller, italien, restaurant (m.), mardi (m.)

3 My parents are going to choose a dog next week.
parent (m.), aller, choisir, chien (m.), prochain, semaine (f.)

4 Pierre has to reserve a hotel room for his family.
devoir, réserver, hôtel (m.), chambre (f.), famille (f.)

5 I cannot wear these old shoes because they are too dirty.
pouvoir, porter, vieux, chaussure (f.), sale

Exercice 14.4

Use the vocabulary provided to help you translate the following sentences into French.
(You are given the masculine singular form of adjectives, the gender of nouns and the infinitive of verbs (apart from avoir and être). You need to add extra words as necessary and make sure that the word order is correct in French).

1 Jean and Philippe's brothers are smaller than me.
frère (m.), petit

2 In the summer, if it is fine, we sometimes have a picnic.
été (m.), faire, beau, faire, pique-nique (m.)

3 Put the red books on the table.
mettre, rouge, livre (m.), table (f.)

4 His sister is one metre fifty tall and loves horses.
sœur (f.), mesurer, adorer, cheval (m.)

5 Usually, in the evening, we watch an old film on television.
soir (m.), regarder, vieux, film (m.), télévision (f.)

Exercice 14.5

Use the vocabulary provided to help you translate the following sentences into French.
(You are given the masculine singular form of adjectives, the gender of nouns and the infinitive of verbs (apart from avoir and être). You need to add extra words as necessary and make sure that the word order is correct in French).

1 She knows Paris but she never speaks French.
connaître, parler, français (m.)

2 There are not many first courses on the menu this evening.
entrée (f.), carte (f.), soir (m.)

3 On Sundays we go horse-riding if it is not raining.
dimanche (m.), faire, équitation (f.), pleuvoir

4 My mother wants to make an appointment for next Tuesday.
mère (f.), vouloir, prendre, rendez-vous (m.), prochain, mardi (m.)

5 The group is going to go skiing during the holidays.
groupe (m.), aller, faire, ski (m.), vacances (f.pl.)

Exercice 15.1 L'école en France

You are in France visiting your French friend's school. Write an email in French to your French teacher. You should write between 80 and 120 words.

*(You need to show knowledge of the **past**, **present** and **near future** tenses in order to access the top marks, and you will be credited for the accurate use of a wide variety of vocabulary and grammar.)*

You must include at least **four** of the following:

- Un repas hier à l'école — A meal yesterday at school.
- Tes amis — Your friends
- Le sport à l'école — Sport at school
- Un cours demain — A lesson tomorrow
- Un problème — A problem

Exercice 15.2 Une journée à Londres

You are in London with your friends. Write an email in French to a French friend. You should write between 80 and 120 words.

*(You need to show knowledge of the **past**, **present** and **near future** tenses in order to access the top marks, and you will be credited for the accurate use of a wide variety of vocabulary and grammar.)*

You must include at least **four** of the following:

- Tes vacances de l'année dernière — Your holidays last year
- Tes amis — Your friends
- Tes achats — What you bought
- Le temps — The weather
- Tes projets pour ce soir — Your plans for this evening

Exercice 15.3 Cette semaine

Write an email in French to a French friend about your activities this week. You should write between 80 and 120 words.

*(You need to show knowledge of the **past**, **present** and **near future** tenses in order to access the top marks, and you will be credited for the accurate use of a wide variety of vocabulary and grammar.)*

You must include at least **four** of the following:

- La ville — The town
- Ce que tu as fait aujourd'hui — What you have done today
- Ton argent de poche — Your pocket money
- Un cadeau que tu vas acheter — A gift you are going to buy
- Un sport — A sport

Exercice 15.4 Ce week-end

Write an email in French to a French friend about this weekend. You should write between 80 and 120 words.

*(You need to show knowledge of the **past**, **present** and **near future** tenses in order to access the top marks, and you will be credited for the accurate use of a wide variety of vocabulary and grammar.)*

You must include at least **four** of the following:

• Les activités de ce matin	This morning's activities
• Une fête demain	A party tomorrow
• Les repas	The meals
• Tes vêtements	Your clothes
• Tes amis	Your friends

Exercice 15.5 Au camping

You are camping. Write an email in French to a French friend. You should write between 80 and 120 words.

*(You need to show knowledge of the **past**, **present** and **near future** tenses in order to access the top marks, and you will be credited for the accurate use of a wide variety of vocabulary and grammar.)*

You must include at least **four** of the following:

• Le temps	The weather
• Ton voyage	Your journey
• Le camping	The campsite
• Les autres gens	The other people
• Ce que tu vas faire ce soir	What you are going to do this evening

Exercice 15.6 À l'hôtel

You are staying in a hotel in France. Write an email in French to a French friend. You should write between 80 and 120 words.

*(You need to show knowledge of the **past**, **present** and **near future** tenses in order to access the top marks, and you will be credited for the accurate use of a wide variety of vocabulary and grammar.)*

You must include at least **four** of the following:

• L'hôtel	The hotel
• Le repas d'hier soir	The meal last night
• Le temps	The weather
• La ville	The town
• Ce que tu vas faire en vacances	What you are going to do on holiday

Exercice 15.7 Chez les cousins

You have just returned from visiting your French cousins. Write an email to them in French. You should write between 80 and 120 words.

*(You need to show knowledge of the **past**, **present** and **near future** tenses in order to access the top marks, and you will be credited for the accurate use of a wide variety of vocabulary and grammar.)*

You must include at least **four** of the following:

• La ville	The town
• La maison de tes cousins	Your cousins' house
• Un monument que tu as visité	A historic building that you visited
• Le temps	The weather
• Les activités	The activities

Exercice 15.8 Mon école

Write an email in French to a French friend about school. You should write between 80 and 120 words.

*(You need to show knowledge of the **past**, **present** and **near future** tenses in order to access the top marks, and you will be credited for the accurate use of a wide variety of vocabulary and grammar.)*

You must include at least **four** of the following:

• Les cours	The lessons
• Les professeurs	The teachers
• Les repas	The meals
• Tes amis	Your friends
• Les activités	The activities

Exercice 15.9 Les vacances actives

Write an email in French to a French friend about an activity holiday. You should write between 80 and 120 words.

*(You need to show knowledge of the **past**, **present** and **near future** tenses in order to access the top marks, and you will be credited for the accurate use of a wide variety of vocabulary and grammar.)*

You must include at least **four** of the following:

• Les moniteurs et monitrices	The instructors
• Le temps	The weather
• Les repas	The meals
• Tes activités préférées	Your favourite activities
• Un problème	A problem

Exam Practice Answers

1 Speaking

Prepared topics

The following are transcripts of the audio forming the second part of each exercise. Pupils' answers will vary.

Track 1

Exercice 1.1 Daily routine and school

Teacher-examiner questions:

- Tu joues d'un instrument de musique?
- Où se trouve ton école?
- C'est une école mixte?
- Où fais-tu tes devoirs?

Track 2

Exercice 1.2 Holiday activities

Teacher-examiner questions:

- Où vas-tu en vacances cet été?
- Combien de temps vas-tu passer en vacances?
- Comment vas-tu voyager?
- Quel temps fait-il là-bas?
- Level 2 Quels pays as-tu visités?

Track 3

Exercice 1.3 Where I live

Teacher-examiner questions:

- Comment est ta chambre?
- Qu'est-ce qu'il y a dans le salon?
- Qu'est-ce que tu fais à la maison pour aider tes parents?
- Qu'est-ce que tu n'aimes pas faire à la maison?
- Qui fait la cuisine chez toi, normalement?

Track 4

Exercice 1.4 My town

Teacher-examiner questions:

- Tu habites près du centre-ville?
- Comment vas-tu en ville?
- Où vas-tu pour acheter des vêtements?
- Est-ce qu'il y a un parc dans ta ville?
- Qu'est-ce qu'on peut faire au parc?
- Level 2 Qu'est-ce que tu fais de ton argent de poche?

Track 5

Exercice 1.5 My family

Teacher-examiner questions:

- Que font tes parents comme métier?
- Qu'est-ce que tu fais normalement à Noël?
- Qu'est-ce que tu fais pour fêter ton anniversaire?

Track 6

Exercice 1.6 Free time

Teacher-examiner questions:

- Tu joues dans une équipe?
- Tu regardes souvent la télévision?
- Quelles émissions préfères-tu?
- Quel genre de musique aimes-tu?
- Est-ce que tu joues d'un instrument de musique?

The following are sample presentations with example questions and answers. Pupils' presentations on these topics will vary but these give an indication of the level and type of material to aim for.

Exercice 1.7 Me and my family

Je suis Lucy. J'ai douze ans et mon anniversaire est le vingt juin. J'ai un frère qui s'appelle Matthieu et une sœur qui s'appelle Laura. Mon frère est plus grand que moi – il a seize ans. Ma soeur a seulement six ans et elle est un peu embêtante.

Mon père est très grand, il est barbu et il a les cheveux gris. Il est très sportif et il aime surtout courir. Il aime aussi faire la cuisine, et il fait des gâteaux délicieux! Ma mère est petite avec de longs cheveux noirs et elle porte des lunettes. Pendant son temps libre elle aime jardiner.

Nous avons un petit chien qui s'appelle Bruno. Il est mignon et j'adore jouer avec lui et le promener dans le parc.

Teacher-examiner questions and sample answers:

Teacher-examiner (TE): Fais une description de ton meilleur ami ou ta meilleure amie.

Pupil (P): Ma meilleure amie s'appelle Anne-Marie. Nous sommes dans la même classe et elle habite tout près de chez moi. Elle est petite et très jolie avec les cheveux noirs et les yeux marron. Comme moi, elle aime les animaux et nous aimons beaucoup promener nos chiens dans le parc.

TE: Que font tes parents comme métier?

P: Mon père est comptable et ma mère est médecin dans un grand hôpital.

TE: Qui fait normalement la cuisine chez toi?

P: Mes deux parents adorent faire la cuisine. Normalement, maman prépare le petit-déjeuner parce que papa part très tôt, mais le soir quelquefois c'est maman et quelquefois c'est papa qui prépare le dîner. J'aime bien les aider.

TE: Est-ce que tu t'occupes d'un animal à la maison?

P: Oui, j'ai un chien et j'aime bien m'occuper de lui. Je lui donne à manger le matin et le soir quand je rentre de l'école.

TE: Est-ce que tu vois souvent tes grands-parents?

P: Oui, assez souvent. Ils habitent tout près alors je vais chez eux une ou deux fois par semaine. Ma grand-mère fait des gâteaux délicieux! J'adore mes grands-parents!

Exercice 1.8 My house

Ma maison se trouve en ville, tout près de mon école. C'est une assez grande maison et elle est vieille – elle date du dix-neuvième siècle. Il y a trois étages. Au rez-de-chaussée, il y a le salon, une grande cuisine et un bureau. Nous avons aussi une salle à manger mais normalement nous prenons les repas dans la cuisine, sauf quand il y a des invités. En haut, il y a quatre chambres et une salle de bains, et dans le grenier il y a une chambre d'amis.

Dans ma chambre il y a mon lit, bien sûr, une grande armoire, une table avec mon ordinateur et des étagères. J'ai beaucoup de photos et posters sur les murs. Je n'aime pas ranger ma chambre et mes parents me grondent souvent quand ils trouvent mes vêtements et mes affaires par terre.

Derrière la maison, il y a un grand jardin avec beaucoup de fleurs et quelques arbres. Nous avons aussi un petit bassin avec des poissons rouges. J'aime bien ma maison.

Teacher-examiner questions and sample answers:

Teacher-examiner (TE): À quelle heure est-ce que tu te lèves normalement?

Pupil (P): Normalement, je me lève à sept heures. Mais le week-end, je peux dormir plus tard et je me lève vers huit heures et demie.

TE: Comment vas-tu à l'école?

P: Je vais à l'école à pied, mais s'il fait très mauvais, maman m'emmène en voiture.

TE: Qu'est-ce que tu fais pour aider tes parents à la maison?

P: Je range ma chambre, je mets la table, j'aide mes parents dans la cuisine: j'aime préparer les repas, mais je n'aime pas faire la vaisselle!

TE: Où est-ce que tu fais tes devoirs?

P: Normalement je fais mes devoirs dans ma chambre mais quelquefois dans la cuisine si j'ai besoin d'un peu d'aide, quand j'apprends du vocabulaire par exemple.

TE: Quels magasins y a-t-il près de ta maison?

P: Il y a une boulangerie, une pharmacie et une boucherie. Il y a un supermarché à dix minutes en voiture.

Exercice 1.9 My school

Je vais à une école mixte avec cinq cents élèves environ. Je suis en cinquième. Nos cours commencent à huit heures et demie et finissent à quatre heures. C'est une longue journée. Heureusement que l'école n'est pas trop loin de chez moi. J'y vais normalement à pied.

Chaque cours dure quarante-cinq minutes. Ma matière préférée est la géo parce que c'est intéressant et assez facile. J'ai toujours de bonnes notes en géo. Par contre, je trouve les maths difficiles.

Nos profs sont tous très gentils et j'aime surtout le prof d'anglais qui est très drôle. Comme langues, je fais le français et l'espagnol. J'apprends le français depuis quatre ans et l'espagnol depuis deux ans.

Nous faisons pas mal de sport dans notre école. En hiver je joue au hockey et en été je joue au tennis et je fais de l'athlétisme. Nous avons deux grands terrains de sport et aussi une piscine couverte.

Teacher-examiner questions and sample answers:

Teacher-examiner (TE): Combien d'élèves y a-t-il dans ta classe?

Pupil (P): Dans ma classe il y a vingt-cinq élèves – douze garçons et treize filles.

TE: Comment est ton prof de français?

P: Mon prof de français est très gentil. Il est assez jeune et il est drôle.

TE: Que fais-tu pendant la récréation?

P: Je mange un fruit et un petit gâteau et je bavarde avec mes amis.

TE: Qu'est-ce que tu portes comme uniforme scolaire?

P: Les garçons portent un pantalon noir avec une chemise bleu clair, un pull bleu marine et une veste bleu marine. Les filles portent une jupe grise.

TE: Est-ce que tu préfères les langues ou les sciences? Pourquoi?

P: Je préfère les langues. C'est plus facile et j'aime le prof. Les sciences sont intéressantes mais plus difficiles.

Exercice 1.10 My free time

Je vais vous parler de mes loisirs.

J'adore le sport et je suis passionné(e) du foot. Je joue dans la première équipe de mon école et nous avons un match au moins une fois par semaine. J'aime aussi assister aux matchs dans le stade de notre ville. J'y vais souvent avec mon père. À part le foot, en été, je joue au tennis. Quelquefois, pendant les vacances de février, nous allons chez mes grands-parents qui habitent en Suisse. J'adore faire du ski avec mes cousins.

Je joue du violon depuis cinq ans et je chante dans la chorale de l'école. À la maison, je lis et je joue aux jeux vidéo.

Teacher-examiner questions and sample answers:

Teacher-examiner (TE): Qu'est-ce que tu fais normalement le week-end?

Pupil (P): Quelquefois, je vais en ville avec mes amis. Le dimanche après-midi, je vais toujours chez mes grands-parents.

TE: Qu'est-ce que tu fais de ton argent de poche?

P: J'achète des bonbons et des jeux. Si j'ai besoin de vêtements, c'est normalement ma mère qui paie.

TE: Quel genre de musique préfères-tu?

P: J'adore le rock, mais j'aime aussi la musique classique.

TE: Qu'est-ce que tu aimes faire avec tes amis?

P: Nous jouons au tennis, nous allons à la piscine, nous jouons aux jeux vidéo, quelquefois nous allons au cinéma.

TE: Qu'est-ce que tu vas faire le week-end prochain?

P: Le week-end prochain, ma tante, mon oncle et mes cousins vont venir chez nous. Dimanche, toute la famille va au restaurant fêter l'anniversaire de mon père.

Exercice 1.11 My holidays

Je pars en vacances deux ou trois fois par an. Normalement, je pars au mois d'août avec ma famille au bord de la mer ou à la campagne. D'habitude, nous louons une villa ou un gîte mais cette année nous allons faire du camping. Ça va être sympa!

J'aime beaucoup la mer – il y a tant de choses à faire. On peut jouer au volley sur la plage, on peut nager ou faire du surf. J'aime tout ça parce que je suis très sportif/sportive. Les vacances à la campagne sont bien aussi. J'aime faire du vélo et quelquefois je fais du cheval.

Au mois d'avril dernier, je suis allé(e) en France avec mon école. Je suis resté(e) chez mon correspondant Matthieu à Versailles et nous avons visité Paris bien sûr. C'est une ville magnifique!*

*The final paragraph is in the **passé composé** so is only appropriate for Level 2 candidates.

Teacher-examiner questions and sample answers:

Teacher-examiner (TE): Est-ce que tu préfères les vacances au bord de la mer ou à la campagne? Pourquoi?

Pupil (P): Je préfère les vacances au bord de la mer parce que j'aime jouer sur la plage et nager dans la mer.

TE: Quel est ton moyen de transport préféré?

P: J'aime voyager en avion parce que c'est rapide et c'est amusant. On peut voyager en Afrique ou aux États-Unis en quelques heures seulement.

TE: Où vas-tu en vacances cette année?

P: Cet été nous allons passer quinze jours dans le sud de la France. Nous allons faire du camping au bord de la mer.

TE: Quelle est ta saison préférée et pourquoi?

P: Ma saison préférée est l'hiver parce que j'aime la neige et j'adore faire du ski.

TE: Qu'est-ce que tu aimes manger et boire dans un café au bord de la mer?

P: J'aime boire un coca ou une limonade et je mange une glace, ou peut-être une crêpe.

Level 2

Exercice 1.12 A region in France

Une région de France que j'aime bien est la Bourgogne qui est dans l'est du pays. L'été dernier, nous avons passé quinze jours dans un gîte près de Dijon, la ville principale de la région où il y a beaucoup de bâtiments historiques et un grand marché. Nous avons acheté de la moutarde et du pain d'épices qui sont des spécialités de la région. Mes parents ont aussi acheté des bouteilles de vin, car la Bourgogne est célèbre pour ses vignobles.

Notre gîte se trouvait sur le Canal de Bourgogne et j'aimais faire des promenades à pied et à vélo le long du canal. Il y a aussi des lacs où on peut se baigner.

En Bourgogne, il y a beaucoup de châteaux. J'aime surtout le château de Châteauneuf en Auxois qui est perché sur une colline au dessus du Canal. C'est un endroit magnifique.

Teacher-examiner questions and sample answers:

Teacher-examiner (TE): Comment as-tu voyagé en France?

Pupil (P): Nous avons voyagé dans la voiture de mes parents et nous avons pris le Tunnel sous la Manche.

TE: Est-ce que tu aimerais retourner en Bourgogne?

P: Oui, j'aimerais bien y retourner.

TE: Pourquoi?

P: Parce qu'il y a beaucoup de choses à faire et j'aimerais visiter les autres châteaux de la région.

TE: As-tu visité d'autres régions de la France?

P: Oui, je suis allé(e) en Bretagne il y a deux ans, et j'ai visité Paris deux fois.

TE: Est-ce que tu connais d'autres pays francophones?

P: Il y a le Canada, la Suisse, la Belgique ... mais je n'ai pas encore visité ces pays.

Level 2

Exercice 1.13 A traditional festival

L'an dernier, j'ai eu de la chance d'être en France pour le quatorze juillet. Cette date est très importante pour les Français car c'est le jour de la Fête Nationale, qui commémore la prise de la Bastille en mille sept cent quatre-vingt-neuf et la fin de la monarchie en France. C'est un jour férié, c'est-à-dire que tous les magasins et bureaux sont fermés et personne ne travaille.

Dans le village où on restait, les habitants ont organisé un repas spécial et tout le monde était invité. C'était vraiment sympa. Ils ont mis des tables dans le jardin public en face de l'église et toutes les décorations étaient rouges, bleues et blanches, comme le Tricolore – le drapeau français. Après le déjeuner, on a organisé un concours de boules, puis le soir il y avait un bal pour tout le village. C'était amusant. Finalement, à dix heures, il y a eu un feu d'artifice qui était magnifique. J'ai bien aimé la fête du quatorze juillet!

Teacher-examiner questions and sample answers:

Teacher-examiner (TE): Qu'est-ce que tu as mangé à la fête du quatorze juillet?

Pupil (P): J'ai mangé de la charcuterie et des salades, puis une tarte aux framboises délicieuse!

TE: Et qu'est-ce que tu as bu?

P: Moi, j'ai bu un jus de fruit et de l'eau. Il y avait du vin, bien sûr, mais pas pour les enfants!

TE: Est-ce que tu connais d'autres fêtes traditionnelles en France?

P: Il y a Noël et Pâques, comme chez nous, et il y a aussi la Fête des Rois et le Mardi Gras.

TE: La Fête des Rois, qu'est-ce que c'est?

P: C'est le six janvier, la fin des fêtes de Noël. On mange un gâteau spécial, la galette des rois. Il y a une fève cachée dedans et la personne qui la trouve est le roi ou la reine pour la journée. C'est amusant pour les enfants!

TE: Et le Mardi Gras?

P: J'adore le Mardi Gras parce qu'on mange des crêpes. C'est normalement au mois de février. Dans quelques villes en France il y a un Carnaval, par exemple le Carnaval des Fleurs à Nice.

Level 2 Role play

Below is a transcript of the audio, interspersed with sample answers (not recorded) that fulfil the assessment criteria for gaining top marks. It is emphasised that the sample answers are for guidance only, and candidates should be awarded marks in the role play according to the mark scheme set out at the end of this book. This is particularly true for the one open-ended question in each exercise, for which no prompt is given other than 'Answer the question.' For these, pupils may give responses very different from those suggested here.

Track 7 Exercice 2.1 Au camping

Bonjour. Je peux vous aider?

1 Oui. Avez-vous de la place pour un camping-car?

Oui. Prenez l'emplacement numéro neuf près des arbres là-bas.

2 Merci. Est-ce qu'il y a un restaurant dans le camping?

Oui. Il ouvre à dix-neuf heures.

3 On doit réserver?

Oui, c'est préférable. À quelle heure voulez-vous dîner?

4 À sept heures et demie.

Très bien, c'est noté.

5 J'ai besoin de timbres.

Il y a un bureau de poste dans le village.

6 C'est loin?

Mais non, c'est à cinq cents mètres d'ici.

Track 8 Exercice 2.2 Vacances en Bretagne

Allô!

1 Salut, c'est moi! Je suis en Bretagne.

Tu es dans un hôtel?

2 Non, on fait du camping.

Quel temps fait-il?

3 Il fait un temps magnifique.

Il y a une piscine?

4 Oui, et il y a une salle de jeux, des courts de tennis et un bar.

Tu es près de la mer?

5 Oui. On est à cinq minutes de la plage.

Tu as de la chance! Tu restes combien de temps?

6 Quinze jours. On rentre dimanche prochain.

Track 9 Exercice 2.3 On réserve des chambres

Bonjour, l'Hôtel de Paris.

1 Bonjour Madame. Je voudrais faire une réservation, s'il vous plaît.

Oui, c'est pour quand?

2 Pour trois nuits à partir du sept juillet.

Pour combien de personnes?

3 Nous sommes trois. Nous voulons une chambre double et une chambre pour une personne.

Très bien. C'est quel nom?

4 Martin: M–A–R–T–I–N (em–ah–err–tay–ee–en).

Bien. Vous comptez arriver vers quelle heure?

5 Dans l'après-midi. Vers quatre heures.

C'est parfait.

6 Vous avez un parking à l'hôtel?

Oui, il y a un parking privé derrière l'hôtel.

Track 10 Exercice 2.4 À la plage (a)

Salut, je suis Sébastien. Comment tu t'appelles?

1 Bonjour. Je m'appelle Anne.

Tu habites ici?

2 Non, je suis en vacances.

Tu restes combien de temps?

3 Quinze jours.

Tu as des frères et des sœurs?

4 J'ai un petit frère de dix ans. Il joue là-bas.

Le garçon aux cheveux blonds?

5 Non, le grand aux cheveux noirs.

Tu aimes la plage?

6 Oui, c'est super. Moi, j'aime nager et faire de la planche à voile.

Track 11 Exercice 2.5 À la plage (b)

Tu es anglais?

1 Oui, moi, j'habite à Londres. Et toi, tu habites où?

J'habite un petit village à la campagne, en Bourgogne.

2 La campagne, c'est joli.

Oui. Mais il n'y a pas grand-chose à faire.

3 À Londres, il y a beaucoup de choses à faire.

Qu'est-ce que tu aimes faire?

4 Oh, j'aime aller au théâtre et au cinéma, et j'aime faire du shopping.

J'aimerais habiter en ville.

5 Oui, c'est bien, mais notre appartement est très petit.

Moi j'habite une ferme. On a beaucoup de place.

6 Tu as de la chance.

Track 12

Exercice 2.6 Vacances à la montagne

Alors, tu aimes les vacances de neige?

1 J'adore faire du ski dans les Alpes.

Tu y vas tous les ans?

2 Je vais en Suisse chaque février.

Tu skies bien alors?

3 Je skie assez bien.

Tu y vas avec ta famille?

4 Oui, j'y vais avec mes parents et mon frère.

Vous restez dans un hôtel?

5 Non, nous louons toujours un chalet.

Ce doit être sympa.

6 Oui, on s'amuse bien.

Tu as de la chance!

Track 13

Exercice 2.7 À la gare

Je peux t'aider?

1 Je voudrais un aller-retour pour Bordeaux.

C'est pour aujourd'hui?

2 Non, c'est pour demain.

Et tu reviens quand?

3 Je reviens samedi.

Tu as quel âge?

4 J'ai treize ans.

Alors, ça fait vingt euros.

5 Le train part à quelle heure demain matin?

Il part à dix heures vingt-cinq.

6 C'est direct?

Oui, c'est direct.

Track 14 Exercice 2.8 Dans le train

Vous avez beaucoup de bagages là.

1 Oui. Est-ce que cette place est libre?

Oui, c'est libre. Vous êtes en vacances?

2 Oui, je vais chez mes cousins à Biarritz.

Vous n'êtes pas français, je crois?

3 Non, moi, je suis anglais(e). Vous connaissez l'Angleterre?

Pas très bien. Je suis allée une fois à Londres.

4 J'habite un petit village dans le sud-ouest de l'Angleterre.

Il pleut beaucoup là-bas?

5 En hiver oui, mais il fait très beau en été.

Vous aimez la France?

6 Oh oui, je viens en France tous les ans.

Track 15 Exercice 2.9 Au téléphone

Bonjour Julien, c'est Sylvie.

1 Salut Sylvie, ça va?

Pas mal, et toi?

2 Très bien merci. Tu es libre samedi?

Oui, pourquoi?

3 J'ai des billets pour le match.

Chouette!

4 Tu veux venir?

Mais bien sûr. Il commence à quelle heure?

5 À trois heures.

Je viens chez toi vers deux heures alors.

6 D'accord. À samedi.

Oui c'est ça. À samedi. Au revoir!

Track 16

Exercice 2.10 Dans la rue

Excuse-moi. Est-ce qu'il y a une librairie près d'ici?

1 Oui, là-bas, à côté de la boulangerie.

Merci, et où se trouve le musée d'art moderne?

2 C'est assez loin.

Je peux y aller à pied?

3 Vous pouvez prendre le bus.

Où est l'arrêt?

4 À la place principale.

Et quelle heure est-il maintenant?

5 Il est dix heures et demie.

Bon. J'y vais. Merci beaucoup.

6 De rien. Bonne journée.

Bonne journée.

Track 17

Exercice 2.11 À la banque

Bonjour, je peux t'aider?

1 Je voudrais changer de l'argent.

Combien veux-tu changer?

2 Cent livres sterling.

Tu es de quelle nationalité?

3 Je suis anglais(e).

Tu as une pièce d'identité?

4 Voulez-vous voir mon passeport?

Oui, s'il te plaît.

5 Oh non! Mon passeport est dans l'hôtel!

Sans passeport tu ne peux pas changer de l'argent.

6 Je vais chercher mon passeport tout de suite.

Fais vite alors. La banque ferme à midi.

Track 18 Exercice 2.12 Au café

On s'assoit en terrasse?

1 Oui, il y a une table au coin là-bas.

Tu as faim?

2 Oui, qu'est-ce qu'il y a à manger?

Je vais prendre un croque-monsieur.

3 Moi aussi. J'adore le fromage et le jambon.

Qu'est-ce que tu veux boire?

4 Je vais prendre un coca.

Qu'est-ce qu'on fait cet après-midi?

5 Je voudrais faire du shopping.

Qu'est-ce que tu veux acheter?

6 Je veux acheter des cadeaux pour ma famille.

D'accord. On va faire les magasins.

Track 19 Exercice 2.13 Au restaurant

Vous avez choisi?

1 Quel est le plat du jour?

Le plat du jour, c'est le coq au vin.

2 Bien. Alors, deux menus à dix euros, s'il vous plaît.

Qu'est-ce que vous prenez comme entrée?

3 Nous prenons le pâté.

Vous voulez boire quelque chose?

4 Deux limonades, s'il vous plaît.

Très bien. Bon appétit!

5 Excusez-moi, mais cette fourchette est un peu sale.

Oh, je suis désolé. Je vais la changer tout de suite.

6 Merci beaucoup. C'est gentil.

Track 20 Exercice 2.14 Au bureau des objets trouvés

Je peux vous aider?

1 Oui, j'espère. Je cherche mon sac de sport.

Comment est-il?

2 Il est noir et blanc avec Nike marqué dessus.

Quand l'avez-vous perdu?

3 Hier soir.

Qu'est-ce qu'il y a dedans?

4 Une serviette blanche et un maillot de bain vert.

Rien d'autre?

5 Ah oui, un pull bleu marine.

Je pense qu'on l'a trouvé. C'est celui-ci?

6 Oui. Merci beaucoup.

Vous avez de la chance.

Track 21 Exercice 2.15 Chez le médecin

Bonjour Mademoiselle, qu'est-ce qui ne va pas?

1 Bonjour docteur. J'ai très mal à la gorge.

Depuis combien de temps?

2 Depuis hier.

Vous avez pris des médicaments?

3 Non, rien.

Vous avez mal à la tête aussi?

4 Un peu, et j'ai très chaud.

Je vais vous examiner.

5 C'est la grippe, docteur?

Oui, en effet. Vous devez rester au lit un jour ou deux.

6 Je dois prendre quelque chose?

Oui. Voici une ordonnance. Rentrez tout de suite.

Track 22 Exercice 2.16 Je suis malade

Tu veux aller en ville?

1 Non, je préfère rester à la maison.

Pourquoi?

2 Je ne me sens pas bien.

Qu'est-ce que tu as?

3 J'ai mal au ventre.

Tu ne veux pas sortir alors?

4 Non, je veux rester au lit.

Tu dois prendre quelque chose.

5 Tu peux aller à la pharmacie pour moi?

Bien sûr, j'y vais tout de suite.

6 Merci. Tu es très gentil(le).

Track 23 Exercice 2.17 À l'école

Quel est ton premier cours aujourd hui?

1 J'ai un cours de géo. Et toi?

J'ai maths. C'est vachement difficile.

2 Moi, je suis assez fort(e) en maths.

Tu as un bon prof?

3 Oui, c'est Monsieur Perrot. Il est très sympa.

Ah oui. Il est très drôle.

4 Tu veux venir au parc après l'école?

J'aimerais bien, mais j'ai beaucoup trop de devoirs.

5 Tu travailles trop dur!

Ça sonne! À bientôt!

6 Oui. Bonne journée.

Track 24 Exercice 2.18 Un échange scolaire en France (a)

Tu as fait bon voyage?

1 Oui merci. J'aime voyager en bateau.

Tu n'es pas fatigué(e)?

2 Non, je ne suis pas trop fatigué(e).

C'est ta première visite en France?

3 Oui, c'est ma première visite en France.

Bon. Je vais te montrer ta chambre.

4 Tu as une très belle maison.

Merci. Je peux te donner un coup de main avec ta valise?

5 Non, merci, ça va. Pas de problème.

D'accord. Tu veux téléphoner à tes parents?

6 Oui, je veux bien.

Track 25 Exercice 2.19 Un échange scolaire en France (b)

À table!

1 Ça sent bon.

Bon appétit, tout le monde. Servez-vous!

2 J'ai faim.

Tu aimes les moules?

3 Je ne sais pas. Je ne mange jamais de moules.

Goûte alors. C'est très bon.

4 Ah oui, c'est vraiment délicieux.

Tu en veux encore?

5 Oui, je veux bien.

La cuisine française te plaît?

6 Oui, moi, j'adore la cuisine française.

Level 2 Open conversation

Below are transcripts of the recorded teacher-examiner questions, together with sample answers (not recorded) that fulfil the assessment criteria for gaining top marks. It is emphasised that the sample answers are for guidance only, and candidates should be awarded marks according to the assessment criteria set out at the end of this book. Pupils may give very different responses from those suggested here, which are meant only as an indication of the types of answers that may be given.

Track 26

Exercice 3.1

Teacher-examiner question: À quelle heure est-ce que tu t'es levé(e) ce matin?
Sample answer: Je me suis levé(e) à sept heures moins dix.

Track 27

Exercice 3.2

Teacher-examiner question: Qu'est-ce que tu as pris pour ton petit-déjeuner aujourd'hui?
Sample answer: Aujourd'hui j'ai pris des céréales et du pain grillé avec du beurre et de la confiture. J'ai bu du thé.

Track 28

Exercice 3.3

Teacher-examiner question: Qu'est-ce que tu vas faire ce soir après l'école?
Sample answer: Ce soir, je vais faire mes devoirs, puis, avant le dîner, je vais promener mon chien dans le parc.

Track 29

Exercice 3.4

Teacher-examiner question: Qu'as-tu fait le week-end dernier?
Sample answer: Samedi, j'ai joué dans un match de tennis, et dimanche je suis allé(e) chez mes grands-parents.

Track 30

Exercice 3.5

Teacher-examiner question: Et qu'est-ce que tu vas faire le week-end prochain?
Sample answer: Le week-end prochain, nous sommes invités chez des amis qui habitent à la campagne. Je vais faire du cheval – c'est génial!

Track 31

Exercice 3.6

Teacher-examiner question: Où as-tu passé les vacances l'été dernier?
Sample answer: L'été dernier, je suis allé(e) avec mes parents et ma petite sœur en Suisse.

Track 32
Exercice 3.7

Teacher-examiner question: Qu'est-ce que tu vas faire cet été?
Sample answer: Je vais passer quinze jours chez mes cousins au bord de la mer.

Track 33
Exercice 3.8

Teacher-examiner question: Est-ce que tu as visité la France?
Sample answer: Oui, je suis allé(e) en France plusieurs fois.

Track 34
Exercice 3.9

Teacher-examiner question: Quelles villes françaises connais-tu?
Sample answer: J'ai visité Paris deux fois, et aussi Dijon et Bordeaux.

Track 35
Exercice 3.10

Teacher-examiner question: Comment as-tu voyagé en France?
Sample answer: Normalement en voiture. Nous avons pris le tunnel sous la Manche.

Track 36
Exercice 3.11

Teacher-examiner question: Qu'est-ce que tu as fait pendant ta visite en France?
Sample answer: L'année dernière, je suis allé(e) à Paris avec mon école. Je suis resté(e) chez mon/ma correspondant(e). Nous avons visité Notre Dame, la tour Eiffel et le Musée d'Orsay.

Track 37
Exercice 3.12

Teacher-examiner question: Qu'est-ce que tu aimes manger en France?
Sample answer: J'aime les croissants, les croque-monsieur, les galettes ... beaucoup de choses!

Track 38
Exercice 3.13

Teacher-examiner question: Est-ce que tu connais d'autres pays francophones?
Sample answer: Oui, je connais la Suisse et la Belgique. Puis il y a d'autres pays francophones, le Québec par exemple, mais je n'y suis pas allé(e).

Track 39
Exercice 3.14

Teacher-examiner question: Comment as-tu fêté Noël?
Sample answer: Nous avons fêté Noël à la maison avec toute la famille, mes grands-parents, mes tantes et mes oncles et mes quatre cousins. Mes parents ont préparé un repas magnifique. Nous nous sommes bien amusés!

Track 40
Exercice 3.15

Teacher-examiner question: Qu'est-ce que tu aimerais faire comme métier plus tard dans la vie?
Sample answer: Je ne sais pas. Peut-être médecin ou vétérinaire.

2 Listening

The following are transcripts of the audio, and the answers for each exercise. Candidates are awarded a mark for each correct answer.

Track 41 Exercice 4.1 Ma journée

Exemple: Aujourd'hui, je vais à l'école en voiture.

1 À huit heures et demie, j'ai un cours d'anglais.

2 À midi, pour le déjeuner, je rentre chez moi.

3 Cet après-midi, j'ai maths – le prof est très sympa!

4 Pendant la récré, je discute avec mes amis.

5 Après les cours, je vais jouer dans un match de hockey.

1 (c)

2 (a)

3 (a)

4 (c)

5 (a)

Track 42 Exercice 4.2 Le week-end

Exemple: Tous les samedis, je vais au marché avec ma mère.

1 Nous prenons le car.

2 Il part à dix heures moins vingt.

3 D'abord, nous achetons des légumes et des fruits.

4 Puis je regarde les vêtements.

5 Avant de rentrer, nous prenons une boisson.

1 (a)

2 (c)

3 (c)

4 (a)

5 (a)

Track 43 Exercice 4.3 En vacances

Exemple: Nous partons en vacances le dix juillet.

1 Cette année nous allons à Édimbourg en Écosse.
2 J'y vais avec mes parents et mes frères.
3 Nous allons voyager en voiture.
4 Nous allons rester dans un hôtel à douze kilomètres de la ville.
5 Papa dit que nous pouvons visiter un grand zoo.

1 (c)
2 (a)
3 (b)
4 (c)
5 (c)

Track 44 Exercice 4.4 À l'école

Exemple: Il y a deux cents élèves dans mon école.

1 Moi, je vais à l'école à vélo.
2 D'habitude, j'arrive vers huit heures vingt-cinq.
3 Aujourd'hui, j'ai géo et chimie.
4 Ma matière préférée est le dessin.
5 Ce soir, après l'école, je vais aller à la patinoire.

1 (c)
2 (b)
3 (c)
4 (a)
5 (b)

Track 45 Exercice 5.1 On prépare un pique-nique

Boy Qu'est-ce qu'on fait aujourd'hui?
Girl Il fait très beau. On peut faire un pique-nique.
Boy Bonne idée. On va où?
Girl À la rivière?
Boy D'accord. On peut louer un bateau.
Girl Il faut faire des courses d'abord.
Boy Qu'est-ce qu'on va acheter?

Girl Du saucisson, du pâté, du fromage ...

Boy N'oublie pas le pain.

Girl Bien sûr. Tu veux des pêches?

Boy Oh oui, j'adore les pêches.

Girl Bon, je vais chercher le panier.

Boy Il est dans la cuisine, je crois.

1 The girl suggests having a picnic by the *river*.

2 The boy suggests hiring a *boat* there.

3 The girl suggests buying *cooked sausage*, *pâté* and *cheese*.

4 The boy says not to forget to buy *bread*.

5 They also decide to buy *peaches*.

Track 46

Exercice 5.2 À la boulangerie

Girl Vous désirez?

Boy Je voudrais deux baguettes, s'il vous plaît.

Girl Voilà. C'est tout?

Boy Vous avez des pains au chocolat?

Girl Il en reste trois.

Boy Très bien. Je les prends.

Girl Voilà.

Boy C'est combien la tarte aux pommes?

Girl Sept euros.

Boy Je la prends aussi. Je vous dois combien?

Girl Voyons. Ça fait treize euros cinquante.

Boy J'ai seulement un billet de vingt euros.

Girl Ce n'est pas un problème.

1 The customer buys two *baguettes*.

2 The customer buys *three* chocolate rolls.

3 The apple tart costs *seven* euros.

4 The total cost is *thirteen* euros and *fifty* cents.

5 The value of the customer's note is *twenty* euros.

Track 47 Exercice 5.3 Au restaurant

Girl Qu'est-ce qu'on prend comme dessert?

Boy Je ne sais pas. Regardons la carte.

Girl Voyons ... Coupe liégeoise, ça a l'air délicieux.

Boy C'est quoi ça?

Girl Glace au café, noisettes, sauce au chocolat, crème chantilly.

Boy Pas pour moi merci. Je n'aime pas la crème.

Girl Prends la tarte aux pommes, alors.

Boy Bonne idée. Je prends la tarte.

1–3 The pupil should have identified three of the following:

Coffee ice cream

Hazelnuts

Chocolate sauce

Whipped cream

4 The boy does not have Coupe liégeoise because he does not like *cream*.

5 The boy orders *apple tart* instead.

Track 48 Exercice 6.1 À l'office de tourisme

Man Je peux vous aider?

Girl Oui, avez-vous des renseignements sur la région?

Man Oui, bien sûr. Voici des brochures.

Girl Vous avez un plan de la ville?

Man Voici un plan du centre-ville avec tous les monuments principaux.

Girl Qu'est-ce qu'il y a comme distractions?

Man Il y a le château, il y a un très beau musée, puis il y a la piscine en plein air.

Girl Le château est ouvert tous les jours?

Man Oui, sauf le lundi.

Girl Il ouvre à quelle heure?

Man À dix heures, jusqu'à cinq heures et demie.

Girl C'est gratuit, l'entrée?

Man Ah non. C'est huit euros pour les adultes et demi-tarif pour les moins de quinze ans.

Girl C'est un peu cher.

Man Mais non, pas du tout. La visite dure au moins deux heures et il y a beaucoup de choses à voir.

1 True

2 True

3 False

4 False

5 True

Track 49

Exercice 6.2 À la gare

Man Bonjour Mademoiselle.

Girl Bonjour Monsieur, je voudrais voyager demain à Toulouse.

Man Il y a plusieurs trains. À quelle heure est-ce que vous voulez partir?

Girl Je préfère le matin, mais pas trop tôt!

Man Vous avez un train à dix heures vingt, arrivée à Toulouse à treize heures.

Girl Parfait. Il faut changer?

Man Non, c'est direct.

Girl Est-ce que je dois réserver?

Man Oui, c'est préférable.

1 False

2 True

3 True

4 False

5 True

Track 50

Exercice 6.3 Au téléphone

Boy Allô!

Girl Bonjour Jean-Marc, c'est Anne.

Boy Salut Anne, ça va?

Girl Très bien, merci.

Boy Quand est-ce que tu arrives à Nice?

Girl Demain.

Boy À quelle heure?

Girl Mon train arrive à Nice à dix-huit heures trente.

Boy Je viens te chercher à la gare alors?

Girl Je peux prendre un taxi.

Boy Mais non! Je t'attends devant la sortie.

Girl C'est gentil. À demain alors.

Boy Oui, à demain. Et bon voyage!

1 True

2 False

3 False

4 False

5 True

Track 51 Exercice 7.1 On achète des glaces

Girl Vous désirez?

Boy Je voudrais deux glaces, s'il vous plaît.

Girl Quel parfum?

Boy Qu'est-ce que vous avez?

Girl Vanille, fraise, chocolat, café.

Boy Vous n'avez pas de pistache?

Girl Désolée, je n'en ai plus.

Boy Alors, je prends une glace à la fraise pour moi et une glace au chocolat pour mon ami.

Girl Deux simples?

Boy Non, doubles, s'il vous plaît.

Girl Voilà. Ça fait six euros.

Boy Merci. Oh zut! Je n'ai pas assez d'argent!

1 (c)

2 (b)

3 (a)

4 (b)

5 (d)

Track 52 Exercice 7.2 On va en ville

Girl Qu'est-ce qu'on va faire cet après-midi?

Boy On peut aller à la piscine.

Girl Ah non, pas ça.

Boy Pourquoi pas? Tu n'aimes pas nager?

Girl Si, mais il fait trop froid.

Boy Qu'est-ce qu'on fait alors?

Girl Tu veux aller en ville?

Boy D'accord. Je dois acheter un cadeau d'anniversaire pour mon frère.

Girl On prend le bus?

Boy Oui, il y a un bus à une heure quinze.

Girl Alors, rendez-vous à l'arrêt d'autobus.

Boy Oui. À tout à l'heure!

1 (b)
2 (a)
3 (a)
4 (c)
5 (b)

Track 53

Exercice 7.3 Au cinéma

Man Bonsoir.

Girl Le film commence à quelle heure, s'il vous plaît?

Man Il y a une séance à quinze heures et une autre à dix-huit heures trente.

Girl La séance de quinze heures finit quand?

Man À dix-sept heures vingt.

Girl Alors deux places, s'il vous plaît. C'est combien?

Man Vous avez moins de seize ans tous les deux?

Girl Oui, j'ai quinze ans et mon frère a treize ans.

Man Ça fait huit euros alors.

Girl J'ai seulement un billet de vingt euros. Vous avez la monnaie?

Man Oui, bien sûr.

Girl Où sont les toilettes, s'il vous plaît?

Man Juste là-bas.

Girl Merci beaucoup.

1 (c)
2 (b)
3 (c)
4 (a)
5 (d)

Track 54 Exercice 8.1 À l'hôtel

Girl Je peux vous aider?

Boy Bonjour Madame. Nous avons réservé deux chambres pour ce soir.

Girl C'est pour la famille Duclos?

Boy Oui c'est ça.

Girl C'est pour quatre nuits?

Boy Non Madame. C'est pour trois nuits.

Girl Ah oui, pardon. Vous avez les chambres trente-deux et trente-trois.

Boy C'est à quel étage?

Girl Au troisième. Vous avez une belle vue sur la mer.

Boy Il y a un ascenseur?

Girl Juste derrière vous.

Boy Le petit-déjeuner est servi à quelle heure?

Girl À partir de sept heures.

Boy La salle à manger est au rez-de-chaussée?

Girl Oui, au bout du couloir là-bas.

1 M. Duclos has booked three nights.
2 His family have been given rooms 32 and 33.
3 These rooms are on the third floor.
4 These rooms have a nice view of the sea.
5 The dining room is on the ground floor at the end of the corridor.

Track 55 Exercice 8.2 À la plage

Boy Ouf, j'ai chaud.

Girl Tu veux une glace?

Boy Oui, je veux bien.

Girl Il y a un kiosque là-bas.

Boy Attends, j'ai perdu mon porte-monnaie.

Girl Tu l'as peut-être laissé à l'hôtel.

Boy Non, je suis sûr que je l'ai apporté à la plage.

Girl Le voilà sous ta serviette!

Boy Ah merci. Que je suis bête!

Girl Bon. Allons acheter des glaces!

Boy Reste là. Je vais les chercher.

1 The boy says he is hot.

2 The boy has lost his wallet.

3 She suggests he may have left it at the hotel.

4 She sees it under his towel.

5 The boy buys the ice creams.

Track 56

Exercice 8.3 Au téléphone

Woman	Allô.
Boy	Bonjour Madame, c'est Julien à l'appareil.
Woman	Ah bonjour Julien, comment vas-tu?
Boy	Je vais très bien, merci. Est-ce que Sylvie est là?
Woman	Non, elle vient de sortir.
Boy	Vous savez quand elle va rentrer?
Woman	Je ne sais pas. Tu veux laisser un message?
Boy	Oui, s'il vous plaît. J'ai deux billets pour le match de samedi après-midi.
Woman	Tu as de la chance!
Boy	Oui, j'espère qu'elle peut venir avec moi.
Woman	Elle peut te rappeler ce soir?
Boy	Oui, je reste chez moi ce soir. J'ai beaucoup de devoirs, hélas.
Woman	Allez, à bientôt!
Boy	Au revoir Madame, merci.

1 Sylvie has gone out.

2 Sylvie's mother does not know when she will be back.

3 Julien has two tickets for the match on Saturday afternoon.

4 Sylvie can ring him this evening.

5 Julien is staying in as he has a lot of homework.

Track 57

Exercice 8.4 Une Française à Londres

Girl	Pardon, vous parlez français?
Boy	Oui, je parle français.
Girl	Vous savez où se trouve l'Hôtel Royal?
Boy	Je suis désolé, je ne sais pas.
Girl	C'est dans St Martin's Street, je crois.
Boy	Ah oui, je connais cette rue.

Girl C'est loin?

Boy Non, non, continuez tout droit jusqu'aux feux. C'est la deuxième rue à droite.

Girl Je vous remercie.

1 The girl first asks 'Do you speak French?'
2 The boy does not know where the Hôtel Royal is.
3 The boy does know where St Martin's Street is.
4 The girl asks 'Is it far?'
5 The boy tells her to go straight ahead to the lights, and take the second street on the right.

Track 58 Exercice 8.5 Au restaurant

Girl C'était très bon.

Boy Oui, c'était vraiment délicieux.

Girl Je vais demander l'addition.

Boy Le service est compris?

Girl Non, je ne crois pas. Il faut laisser un pourboire.

Boy Tu as de la monnaie?

Girl Attends, je vais voir.

Boy Oh regarde! C'est marqué «service compris».

Girl Tant mieux.

1 The boy thinks the meal was delicious.
2 The girl is about to ask for the bill.
3 The boy asks whether service is included.
4 She does not think service is included/She thinks they have to leave a tip.
5 They discover that service is included in the bill.

Track 59 Exercice 8.6 On choisit un cadeau

Girl Je peux vous aider?

Boy Oui, je cherche un cadeau pour ma mère.

Girl Qu'est-ce que vous voulez lui offrir?

Boy Je ne sais pas. Je n'ai pas beaucoup d'argent.

Girl Un foulard peut-être?

Boy Je peux voir le foulard bleu là-bas?

Girl Oui, bien sûr. Il est joli, n'est-ce pas?

Boy Oui, et en plus ma mère adore le bleu. C'est combien?

Girl Cinquante euros. C'est en soie.

Boy C'est un peu cher. Vous avez quelque chose de moins cher?

Girl Celui-ci peut-être? Il coûte vingt-cinq euros.

Boy Parfait. Je le prends.

1 The boy is looking for a present for his mother.

2 The boy first looks at a blue scarf.

3 His mother loves blue.

4 The scarf costs 50 euros.

5 He buys another scarf which costs 25 euros.

3 Reading

The following are the answers for each exercise. Candidates are awarded a mark for each correct answer.

Exercice 9.1

Bon, normalement, le *matin* je vais à l'école en *voiture* avec papa. Il conduit assez vite. Il a beaucoup de *route* à faire, et on quitte toujours la *maison* en retard. Au collège cette année je suis en sixième, donc on a deux heures d'*anglais* par semaine.

Exercice 9.2

D'habitude, je *passe* le week-end à faire des activités sportives en plein air. Quand il fait beau, je déteste *rester* à l'intérieur. Je joue *souvent* avec mes deux *petits* frères, qui ont six et quatre ans.

S'il pleut on fait des *jeux* de société ou on regarde un DVD dans le salon.

Exercice 9.3

1 (d)

2 (a)

3 (b)

4 (f)

5 (e)

Exercice 9.4

1 Patrick

2 Stéphane

3 Patrick

4 Magali

5 Marianne

Exercice 9.5

1 Natacha is writing to a *boy*.

2 Natacha is interested in *horses*.

3 Natacha's favourite sport is *tennis*.

4 She finds *maths* difficult.

5 Natacha *does not play* a musical instrument.

Exercice 9.6

Ma destination *préférée* de vacances, c'est l'Italie. On y est *allés* l'année dernière et c'était épatant. J'ai des amis qui *pensent* que visiter les monuments historiques, c'est nul. Moi, ça m'intéresse beaucoup. On est allés à Rome, la capitale italienne, où j'ai pris des centaines de *photos*!

On a vu le forum romain, la fontaine de Trevi et bien d'autres choses. Mais pour moi le clou du séjour, c'était le Colisée. C'est *vraiment* incroyable.

Exercice 9.7

1 A caravan with electricity supply for one night would cost €23.

2 The family would pay €12 with a tent.

3 There is a shop at the reception for basic general supplies.

4 You need to order bread from reception the day before you need it/for the next day.

5 You are supposed to turn off your radio and television after 11 p.m.

Exercice 9.8

1 Para 1 (c)

Para 2 (b)

Para 3 (d)

2 (a) There was not enough room to dance *on* the bridge.

(b) The Palace of the Popes now belongs to *the French Republic*.

Exercice 9.9

1 There is a guided tour every day.

2 The bridge's real name is Pont Saint-Bénézet.

3 There was not enough room on the bridge for people to dance in a circle.

4 It is thought people may have danced under the bridge.

5 The tour continues through the little streets of the old town to get to the Palace of the Popes.

Exercice 9.10

1 He has lived there for nine years.

2 Troyes is in the Champagne-Ardennes region.

3 Because his house is old/his house dates from 1875, and his friends live in neighbourhoods where all the houses are modern.

4 Paul's grandmother also lives in the house.

5 The final paragraph tells us that his father works at home a lot, even at weekends.

Exercice 9.11

The five true sentences are: 2, 3, 5, 6, 7

Exercice 9.12

1 Véronique
2 Marie-Claire
3 Marc
4 Antoinette
5 Georges

Exercice 9.13

1 Para 1 (c)
Para 2 (a)
Para 3 (b)

2 (a) The owner now regrets having left his recent purchases in full view in the middle of the sitting room.
(b) He hurried off to fetch his daughter from the airport.

Exercice 9.14

J'ai reçu trois livres. Ma tante Julie sait que j'adore *lire*, donc j'ai reçu trois livres de sa part. Ils étaient magnifiques, pleins de *photos* de chiens et de chevaux.

Nous, à la maison, on a deux chiens qui s'appellent Mézi et Chouchou. Ils sont adorables mais ils ne sont pas très intelligents! Le jour de mon anniversaire ma mère m'a *réveillée* à sept heures et demie. Si je dormais toujours, c'est que la veille il y avait une fête chez ma *meilleure* amie Tochiko. On a écouté de la musique et on a dansé. On a bien mangé aussi. C'était *formidable*!

Exercice 9.15

1 He phoned him to invite him to a barbecue on 14th July.
2 Guests and neighbours provide the food.
3 They go into the street to watch the fireworks.
4 It is held in the village square.
5 Nothing happens in Patrick's village on 14th July.

Writing

Level 1 exercises

Section 1

Articles **le**, **la** and **les** are included with the suggested answers below, but they are not required for a mark to be awarded and in the exam mark scheme they are ignored. Candidates may write any six items relevant to the topic. Possible answers include, but are not limited to, those suggested below.

Exercice 10.1 En ville

la boulangerie, le marchand de journaux, la piscine, le cinéma, la gare, le café, le court de tennis, la rivière, le marché, le jardin public, le stade

Exercice 10.2 À l'école

l'anglais, l'histoire, la géographie, les maths, l'espagnol, le sport/l'EPS, le dessin, les sciences, la musique, l'allemand, l'informatique

Exercice 10.3 À la maison

la salle à manger, la cuisine, le salon, la chambre, le garage, le bureau, le jardin, la salle de bains, la buanderie, le sous-sol, le grenier, le vestibule

Exercice 10.4 Le temps libre

le tennis, le cyclisme, la télévision, la lecture, le jardinage, les jeux vidéo, la guitare, la natation, la cuisine, le football, l'équitation

Exercice 10.5 Le cours de maths

le crayon, le stylo, la règle, le cahier, la gomme, la calculatrice, le compas, le livre (de maths), la trousse, le taille-crayon

Section 2

Exercice 11.1

1 J'*arrive* à la maison à dix heures.

2 Mon ami Paul est très *grand.*

3 Bonjour! Comment *allez*-vous?

4 Il *fait* beau aujourd'hui.

5 La voiture est *belle.*

Exercice 11.2

1 Vous *aimez* mon nouveau portable?

2 Mes frères *jouent* au basket le samedi.

3 Charles et Philippe *regardent* la télé chez moi.

4 La robe *verte* de Marie-Claude est italienne.

5 J'adore *mes* animaux.

Exercice 11.3

1 À quelle heure est-ce que le film *commence*?

2 Les *nouvelles* maisons sont belles.

3 La sœur de Marc *a* un vélo neuf.

4 Tous les jours, j'*écris* un e-mail à ma copine.

5 Mon père *préfère* le journal régional.

Exercice 11.4

1 Ton ami Marcel est très *gentil.*

2 Le tramway *descend* en ville.

3 Mon oncle et ma tante *habitent* à trois kilomètres d'ici.

4 Cédric *part* à sept heures du matin.

5 Comment vont *tes* parents?

Exercice 11.5

1 J'aime dessiner les poissons qui *nagent.*

2 Mon instrument *préféré* est le piano.

3 Maman *veut* jouer au tennis ce soir.

4 Claire et Natalie *sont* mes meilleures amies.

5 Tu *prends* du café, papa?

Section 3

The following are examples of possible answers only.

Exercice 12.1

1 Le samedi, j'aime aller à la patinoire avec mes copains.

2 Nous faisons quelquefois une promenade dans la forêt.

3 Ma cousine Alice aime faire de l'équitation.

4 Cette année, je voudrais visiter la tour Eiffel à Paris.

5 Ma tante Julie joue souvent au tennis.

Exercice 12.2

1 Nous habitons une petite maison.
2 À l'école, je préfère les maths.
3 Tu aimes voyager en avion?
4 Nous jouons au foot.
5 J'adore aller à la pêche.

Exercice 12.3

1 Le mercredi je joue au rugby avec mes copains.
2 Mon père voyage souvent en avion.
3 Mon restaurant préféré s'appelle Le Café Rouge.
4 À l'école, je préfère la géographie.
5 Ma sœur aime les jeux vidéo.

Exercice 12.4

1 Le week-end je joue de la guitare.
2 Nous faisons une randonnée tous les dimanches.
3 Mon cousin adore le sport, surtout le tennis.
4 Le soir, ma sœur ne regarde pas la télé – elle préfère lire un roman.
5 J'ai une heure de devoirs tous les soirs.

Exercice 12.5

1 Mon père, qui s'appelle Jules, adore visiter les monuments historiques.
2 Aujourd'hui je veux jouer dehors, mais il pleut.
3 J'aime les sciences, mais ma matière préférée, c'est les maths.
4 À la maison, ma sœur fait ses devoirs de français.
5 Mes amies mangent une pizza au parc.

Section 4

The following are examples of possible answers only.

Exercice 13.1

Je m'appelle Daniel. J'ai treize ans. Je vais à l'école en voiture avec ma mère et ma sœur. Ma matière préférée est le dessin. Je n'aime pas le sport.

Exercice 13.2

Je m'appelle Suzanne. J'habite à Oxford avec ma famille. Nous sommes quatre: mon père, ma mère, mon frère Daniel et moi. J'ai un chat qui s'appelle Safran. Il adore le poisson.

Exercice 13.3

Le week-end nous allons au restaurant en ville. J'adore les pizzas et les frites. Ma sœur préfère la cuisine indienne. Papa boit de l'eau. Ma sœur et moi, nous buvons du coca.

Exercice 13.4

J'habite à Oxford en Angleterre. C'est une grande ville touristique et historique. Il y a l'université aussi. En ville il y a beaucoup de magasins. Mais c'est aussi une région agricole.

Exercice 13.5

Après les cours, j'aime promener mes chiens. Quand il pleut, je joue à des jeux vidéo. Je n'aime pas regarder la télé. Le week-end, en été, j'aime faire un pique-nique avec ma famille ou mes amis. En hiver, je fais du ski.

Exercice 13.6

D'habitude, nous allons au bord de la mer. Je me baigne dans la mer. Je joue aussi au tennis avec mes frères. Le soir nous allons au restaurant. Quelquefois nous faisons un barbecue à la plage.

Exercice 13.7

J'habite près de Londres dans une petite maison. Le matin, je prépare le petit-déjeuner avec ma mère. Je vais à l'école en bus et les classes commencent à 8 h 30. Je rentre à la maison à 17 h. Je fais mes devoirs, et je me couche à 20 h 30.

Level 2 exercises

Level 2

Section 1

Exercice 14.1

1 Les T-shirts jaunes coûtent sept euros.

2 Ma sœur veut manger du pain français.

3 Ils/Elles peuvent regarder la télévision après le dîner.

4 Mes amis vont coucher à la maison de ma cousine.

5 Tu n'écoutes pas le professeur de chimie.

Exercice 14.2

1 Sa tante Stéphanie est grande et intelligente.

2 Le professeur de dessin veut acheter une voiture blanche.

3 Robert trouve le latin plus facile que les maths.

4 Il neige souvent dans notre village en février/au mois de février.

5 Marie va venir ici demain pour la fête.

Exercice 14.3

1 Sandrine se lève à sept heures et elle va à l'école en bus.

2 On va/Nous allons au restaurant italien le mardi.

3 Mes parents vont choisir un chien la semaine prochaine.

4 Pierre doit réserver une chambre d'hôtel pour sa famille.

5 Je ne peux pas porter ces vieilles chaussures parce qu'elles sont trop sales.

Exercice 14.4

1 Les frères de Jean et Philippe sont plus petits que moi.

2 En été, s'il fait beau, nous faisons quelquefois un pique-nique.

3 Mets/Mettez les livres rouges sur la table.

4 Sa sœur mesure un mètre cinquante et elle adore les chevaux.

5 D'habitude, le soir, on regarde/nous regardons un vieux film à la télévision.

Exercice 14.5

1 Elle connaît Paris mais elle ne parle jamais français.

2 Il n'y a pas beaucoup d'entrées à la carte ce soir.

3 Le dimanche, on fait/nous faisons de l'équitation s'il ne pleut pas.

4 Ma mère veut prendre rendez-vous pour mardi prochain.

5 Le groupe va faire du ski pendant les vacances.

Section 2

The following are examples of suggested answers only; the range of possibilities in such an exercise is as extensive as the number of individuals sitting the examination. However, each suggested answer seeks to address all the requirements of the question within the permitted number of words.

Exercice 15.1 L'école en France

Chère Madame,

J'espère que vous allez bien. Moi, ça va très bien. Je vais tous les jours au collège Saint-Jacques avec Philippe.

J'aime mon école, et j'ai beaucoup de nouveaux amis. Ici, on ne fait pas beaucoup de sport – seulement deux heures par semaine. J'aime le handball; c'est nouveau pour moi. Les cours sont très intéressants. Je trouve l'anglais très facile! Malheureusement, j'ai besoin d'un dictionnaire pour les cours de français. Je vais demander à Philippe s'il a un dictionnaire.

Dans dix minutes c'est l'heure du déjeuner; on mange bien ici à la cantine. Aujourd'hui je vais prendre des escalopes de dinde à la crème! J'adore ça! Je rentre en Angleterre mardi prochain. C'est dommage; je m'amuse beaucoup ici!

À bientôt,

Cordialement,

(...)

Exercice 15.2 Une journée à Londres

Salut Marc,

Comment vas-tu? Moi, ça va. Je suis au McDo à Londres avec mes copains – c'est mon premier jour en Angleterre après les vacances et il pleut! L'année dernière, nous sommes allés en Italie et il a fait très beau.

Je n'aime pas voyager en car, mais aujourd'hui il n'y a pas beaucoup de circulation et c'est moins cher que le train. Je fais les magasins avec Josh, Ed et Stan. Nous achetons des vêtements – un pull pour moi et Josh, un jean pour Ed, et Stan cherche des baskets. Ce soir, nous allons jouer au foot avec les amis de Josh.

Ici, il y a le wi-fi gratuit, donc tu vas recevoir ce message!

Bonjour à tes parents,

Amitiés,

(...)

Exercice 15.3 Cette semaine

Chère Zoé,

J'espère que tu vas bien. Je viens de faire une promenade en ville avec ma mère et Coco, notre petit chien. En ville il y a des jardins publics, et en automne j'adore regarder les feuilles qui changent de couleur et qui tombent par terre. Demain c'est dimanche. D'habitude je me lève à 7 h, mais le dimanche je fais la grasse matinée parce que le samedi soir j'ai le droit de me coucher tard! Le matin je fais mes devoirs, et l'après-midi j'aide mon père dans le potager.

Je vais acheter un ballon de foot pour l'anniversaire de mon petit frère, mais je ne reçois pas beaucoup d'argent de poche. Est-ce que tes parents te donnent de l'argent?

Après-demain, j'ai une heure de netball. Je déteste le sport!

Écris-moi vite,

Affectueusement,

(...)

Exercice 15.4 Ce week-end

Salut Alice!

Ça va? Moi, ça va très bien. Aujourd'hui, c'est le premier jour où il fait vraiment chaud. Il y a du soleil et il fait 28° à l'ombre. J'adore l'été. Vivement les vacances!

Ce matin en classe nous avons fait des révisions, parce que dans une semaine c'est les examens. J'ai des difficultés en maths mais le français, ça va. Après la pause on a joué au basket et j'ai marqué deux paniers!

Demain, papa va faire un barbecue et maman va préparer des salades. C'est pour fêter l'anniversaire de Caroline et nous avons invité nos amis du collège. Je vais mettre mon nouveau jean et mon T-shirt vert. Après avoir mangé, tout le monde va danser. Ça va être formidable!

Maintenant je vais me coucher. Il est 23 h 45.

Écris-moi vite!

Bisous,

(...)

Exercice 15.5 Au camping

Cher Jean-Luc,

J'espère que tu vas bien. Je suis au camping La Peupleraie à Vitry avec mes parents. Nous sommes arrivés lundi dernier. Dans la voiture, j'ai eu très chaud.

C'est un grand camping avec beaucoup de tentes et de caravanes, mais aussi pas mal de camping-cars. Il y a des distractions pour tout le monde – des animations et des jeux pour les enfants – et une pizzeria sur place. Il y a une belle piscine aussi. Il fait assez chaud et hier il a fait de l'orage. Heureusement, il ne pleut plus et aujourd'hui il fait beau! Nos voisins sont très gentils mais un peu bruyants le soir!

Demain je vais faire de la voile au port.

Amitiés,

(...)

Exercice 15.6 À l'hôtel

Salut Amélie!

J'espère qu'il ne fait pas trop froid à Paris! Moi, je passe huit jours (avec maman, papa et Daniel, bien sûr) à l'hôtel La Farandole près de Bandol. C'est un hôtel de luxe! C'est super chouette: on est près de la mer et il y a une vue magnifique sur la baie. Hier soir, on a mangé au restaurant de l'hôtel. C'était formidable; mais j'ai essayé des huîtres pour la première fois. Tu aimes les huîtres? Moi, non! Mais les desserts sont incroyables! Je t'envoie une photo.

Il y a du soleil, mais il ne fait pas trop chaud. On fait souvent une promenade en ville, où il y a des tas de boutiques de mode, et on peut nager dans la mer. Demain je vais jouer au tennis avec Daniel et papa.

À bientôt,

Bisous,

(...)

Exercice 15.7 Chez les cousins

Chers Jean-Marc et Stéphane,

Chère Aurélie,

Je suis rentré(e) en Angleterre et je pense à Biarritz! Il fait froid ici! J'ai de la chance d'avoir des cousins à Biarritz. Merci pour les vacances chez vous – je me suis bien amusé(e). J'aime l'architecture de Biarritz: c'est comme un décor de film avec les hôtels, le casino et les châteaux! Votre maison est très belle, surtout ma chambre! Les monuments de Biarritz sont impressionnants, surtout la Chapelle Impériale. J'ai aimé la pelote basque, mais ce que j'ai aimé le plus, c'est faire du cheval sur la plage. Quelles vacances merveilleuses!

Un grand merci à mon oncle et ma tante, s'il vous plaît. Puis-je avoir la recette de la bouillabaisse pour maman?

À bientôt,

Gros bisous,

(...)

Exercice 15.8 Mon école

Bonjour Antoine,

Merci de ton message que je viens de lire. Tu me demandes ce que je fais le soir après les cours.

Eh bien, ça dépend du jour. Le lundi j'ai des devoirs de maths et de géo, et ils sont souvent difficiles. Ma matière préférée, c'est le français, donc le mardi, c'est facile. Le jeudi j'ai anglais: le prof est très sympa mais assez strict, donc il faut faire attention!

Après les cours, je bavarde un peu avec mes amis, puis je rentre chez moi. Le soir, après le dîner, je regarde la télé, ou on fait un jeu de société en famille. Heureusement, je ne suis pas interne; les repas au collège sont nuls.

D'habitude, je me couche vers 22 h et je lis un roman avant de m'endormir. Quelquefois je joue sur ma tablette ...

Et toi? Que fais-tu d'habitude?

Amitiés,

(...)

Exercice 15.9 Les vacances actives

Bonjour Arthur, Bonjour Amélie,

J'espère que vous allez bien. J'ai reçu votre e-mail hier – merci. Vous me demandez ce que j'ai fait cet été. Bon, j'ai passé des vacances formidables! Je suis allé(e) en France, à un centre d'activités de plein air dans le Massif Central. On a fait beaucoup de choses, mais ce que j'ai aimé le plus, c'était le canoë-kayak en montagne! C'était passionnant. Les moniteurs et monitrices sont/étaient très gentils.

Il a fait beau tous les jours sauf un, où il y a eu de la brume le matin, donc je suis assez bronzé(e)! Les cabanes étaient confortables, et on a bien mangé. Malheureusement, mon copain Jules a perdu son passeport, tout le monde l'a cherché et après deux heures il l'a trouvé – dans son sac à dos!

Et vous? Racontez-moi vos vacances. À bientôt!

Amitiés,

(...)

ISEB criteria for evaluating performance

Level 1 Speaking: prepared topics

Each discussion is marked out of 10, according to the following descriptors. The mark out of 20 is then scaled up to give a mark out of 25.

Mark	Communication
5	Very good: information presented with confidence.
4	Good: a good amount of information conveyed.
3	Satisfactory: a reasonable amount of information conveyed.
2	Limited: very simple information conveyed.
1	Poor: very little information conveyed.
0	No relevant information conveyed.

Mark	Accuracy and quality
5	Good accent and range of vocabulary; possible errors in more complex language, but generally accurate.
4	Some errors, but clear message and generally good pronunciation.
3	Generally simple answers and frequent errors, but language more accurate than inaccurate.
2	Very limited vocabulary; short, simple sentences; errors very frequent; comprehension somewhat delayed.
1	Occasional, short phrases; communication often hindered by errors; pronunciation barely understandable.
0	No language produced worthy of credit.

Level 2

Level 2 Speaking: role play

The role play is marked out of 9, according to the following descriptors. There is a total of 6 marks for the tasks and up to 3 marks for the quality of language throughout the role play.

Mark (per task)	Completion of tasks
1	Full communication.
½	Task partly carried out; there may be considerable hesitation.
0	Failure to communicate.

Mark (overall impression)	Quality of language
3	High level of accuracy with no significant errors.
2	Level of language generally good but with a number of errors.
1	Marked weaknesses in the use of language.
0	Little or no effective use of the target language.

Level 2 Level 2 Speaking: prepared topic

The discussion of the prepared topic is marked out of 8, according to the following descriptors.

Mark	Descriptor
8	Excellent: a lot of information communicated; good pronunciation and at least a reasonable attempt at intonation; a high level of accuracy; a range of tenses attempted, including accurate use of the **passé composé**, as well as the present and near future tenses; opinions and justification offered; errors may exist but only in the most ambitious language.
7	Very good communication: ready responses, mainly accurate including some successful use of the **passé composé** and near future, as well as very good use of the present tense; a wide range of vocabulary; good pronunciation.
6	Good communication: generally ready responses, though with some hesitation and a number of errors; a good range of vocabulary; a reasonable attempt at pronunciation. NB A range of tenses is not required.
4–5	Satisfactory communication: adequate responses; some hesitation; some significant errors.
3	Limited communication: hesitant and probably with serious errors; prompting required.
2	Very limited communication: very hesitant, with prompting needed; relatively little accurate usage.
0–1	Very weak: little or no communication; not easily understood; much prompting needed.

Level 2 Level 2 Speaking: open conversation

The open, spontaneous and unprepared discussion is marked out of 8, according to the descriptors above for the Level 2 prepared topic.

Level 2 Level 2 Writing: Section 2 (email)

This question is marked out of 15, according to the following descriptors.

Mark	Content and communication
5	Responds fully to the task and communicates with no ambiguity in a coherent and detailed way.
4	Communicates relevant information clearly and elaborates all points.
3	Reasonable communication, but either one point not covered or the general coverage of the points lacks detail.
2	Communication takes place, but with limited coverage of the required points and there may be instances of repeated or irrelevant material.
1	Partial communication and some attempt to respond to the task.
0	Communicates no relevant information.

Mark	Quality of language
9–10	A range of grammar, vocabulary, idiom and structures, used confidently and accurately to include accurate use of the **passé composé**, as well as of the present and near future tenses; fluent, controlled and varied; errors may exist, but only in the most ambitious language.
7–8	A good level of accuracy, fluency, range of vocabulary and grammar, including some successful attempts at using the **passé composé**.
5–6	Uses a range of straightforward structures and vocabulary, which may include different tenses; more right than wrong; reasonably coherent and accurate.
3–4	Some awareness of verbs, but inconsistent overall; some range and variety of idiom, vocabulary and structures, but generally a weakness in application and accuracy.
1–2	Inaccurate, very simple sentence structure and very poor range of vocabulary; much repetition; limited knowledge of the language; only a few phrases or short sentences accurate enough to be recognisable.
0	Nothing coherent or accurate enough to be comprehensible.